# vente

## Curso de español lengua extranjera

### Libro de ejercicios

**2**

Fernando Marín
Reyes Morales
Andrés Ibáñez

edelsa

1.ª edición: 2014
5.ª impresión: 2019

© Edelsa Grupo Didascalia, S.A. Madrid, 2014.

Autores: Fernando Marín, Reyes Morales y Andrés Ibáñez.
Dirección y coordinación editorial: Departamento de Edición de Edelsa.
Diseño de cubierta: Departamento de Imagen de Edelsa.
Diseño y maquetación de interior: Departamento de Imagen de Edelsa.

ISBN: 978-84-7711-137-5
Depósito Legal: M-24754-2014

Impreso en España / *Printed in Spain*

Fuentes y créditos:
Fotografías: Thinskstockphotos.com

CD audio: Locuciones y Montaje Sonoro ALTA FRECUENCIA MADRID 915195277 altafrecuencia.com
Voces de la locución: Juani Femenía y Jaime Moreno.

# ÍNDICE

# HÁBLAME DE TI

## 💬 COMUNICACIÓN

### ¡Venga ya!

**1. Completa las frases con estas expresiones.**

| Ya te lo he dicho   digo que   dan (un poco) igual   ni fu ni fa |
|---|
| Anda ya   Venga, hombre   No me importa lo más mínimo |

a. - ¿Sabes que voy a ser astronauta?
   - ¡..............................! Si apenas sabes conducir un coche.
b. - Yo creo que a Verónica le gustas.
   - Tú estás loco.
   - Que sí. Te ........................................ le gustas.
c. - ¿Te gustan las *pelis* de miedo?
   - Bueno, ........................................ . Me ........................................ .
d. - El coche de Elisa debe costar por lo menos cincuenta mil euros.
   - ¡..............................¡ Si es de segunda mano.
e. - Virginia está enfadada. Dice que no quiere hablar más contigo.
   - ........................................ . Yo tampoco quiero hablar con ella.
f. - Andrea es muy inteligente. Acabó la carrera de Medicina a los veintisiete años.
   - Pues eso es muy difícil.
   - ........................................, es muy inteligente.

### Me da igual

**2. Para cada idea marca tus preferencias, como en el ejemplo. Después, escribe frases.**

| | Encantar | Gustar | Dar igual | Molestar | Poner furioso/a |
|---|---|---|---|---|---|
| La opinión de la gente (Yo)   *Me da igual la opinión de la gente* | | | X | | |
| Los regalos (Elena) | | | | | |
| El humo del tabaco (nosotros) | | | | | |
| Perder las llaves (usted) | | | | | |
| Tener vacaciones en julio o agosto (mis padres) | | | | | |
| Las personas que mienten (yo) | | | | | |
| Montar en bici (mi hermano) | | | | | |

## Estar, sentirse o ponerse

**3. Completa las frases con *estar*, *sentirse* o *ponerse* (puede haber dos posibilidades).**

a. Esa serpiente no se mueve. Creo que ........................... muerta.
b. Desde que se compró el perro ........................... más acompañado.
c. ¿Te has mareado? ........................... amarilla.
d. Cuando hay exámenes, ........................... nervioso.
e. ¿Cómo ........................... después de hacer gimnasia: tenso o relajado?
f. Si ........................... todos preparados, podemos irnos ya.

## ¡Cuánto me alegro!

**4. Relaciona las frases con las exclamaciones.**

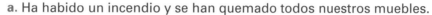

a. Ha habido un incendio y se han quemado todos nuestros muebles.
b. Mi primo es un bestia. Se ha comido tres pollos enteros.
c. No podré ir a tu fiesta. Tengo un examen mañana.
d. La paella ya está lista.
e. Hemos ido de crucero por el Caribe y ahora nos vamos a esquiar.
f. ¡He encontrado trabajo por fin!

1. ¡Cuánto me alegro!
2. ¡Qué bien huele!
3. ¡Qué desastre!
4. ¡Qué lástima!
5. ¡Qué bien vivís!
6. ¡Qué barbaridad!

# 📁 LÉXICO

## ¿Cómo es?

**1. Relaciona las descripciones con las palabras correspondientes.**

| | | |
|---|---|---|
| a. Nunca está conforme con nada. | 1. Es práctico. |
| b. Guarda su intimidad. | 2. Tiene carisma. |
| c. Prefiere pasar desapercibido. | 3. Es reservado. |
| d. No piensa las cosas mucho. | 4. Es apasionado. |
| e. Está perfectamente aseado y vestido. | 5. Es impulsivo. |
| f. Se emociona fácilmente. | 6. Está impecable. |
| g. No vive en este mundo. | 7. Es ambicioso. |
| h. Siempre quiere aprender cosas nuevas. | 8. Es soñador. |
| i. Siempre sabe cómo resolver un problema. | 9. Es curioso. |
| j. La gente lo admira. | 10. Es original. |
| k. Sabe esperar el momento adecuado. | 11. Es sensible. |
| l. Vive todo con intensidad. | 12. Tiene mal humor. |
| m. No se parece a los demás. | 13. Es exigente. |
| n. Siempre quiere más. | 14. Es paciente |
| ñ. Se enfada a menudo. | 15. Es tímido. |

## El carácter

**2. Completa con estas palabras en la forma adecuada.**

| crítico | intolerante | pesimista | tímido | generoso | mentiroso | amable |
|---|---|---|---|---|---|---|

a. No hay que ser ........................... . Hay que respetar a los que son diferentes o piensan de otra manera.
b. Mis hermanas pequeñas son muy ........................... . Les da vergüenza hablar en público.
c. Juan Carlos es un ........................... . Me dijo que salía con Mara y sé que no es verdad.
d. No sé, chico, soy ........................... . Creo que esto va a salir muy mal.
e. Habéis sido muy ........................... con Iker. Ha cometido fallos, pero es la primera vez que actúa en directo. Hay que darle una oportunidad.
f. Muchísimas gracias por ayudarme. Es usted muy ........................... .
g. Lucía es muy ........................... con el dinero de sus padres. Veremos cuando lo tenga que ganar ella.

 GRAMÁTICA

## Ser o estar

**1. Completa las frases con *ser* o *estar* en la forma adecuada.**

a. Manu .............. pintor.
b. Llévate esos libros. .............. tuyos.
c. ¿Qué día .............. hoy?
d. ¿Qué hora ..............?
e. La película .............. muy triste.
f. - Cuéntame, ¿cómo .............. físicamente? Espero reconocerte si te veo.
   - .............. moreno, delgado y tengo barba.
g. ¿Dónde .............. mis llaves?
h. Hoy .............. muy contenta.
i. Jorge y sus amigos .............. muy simpáticos. Siempre .............. sonriendo y contando chistes.
j. Ahora mis colegas .............. dando clase de español.
k. Queríamos irnos, .............. las tres ya y ellos todavía no .............. listos.
l. No sé qué le pasa a mi hermano pequeño. .............. malo, tiene fiebre.

## A mí no me importa

**2. Escribe frases siguiendo el ejemplo y usando uno de estos verbos.**

| gustar (2) | divertir | importar | ~~interesar~~ | indignar | fascinar | fastidiar |
|---|---|---|---|---|---|---|

(Ellos) ..................... conocer gente que habla español, para practicar.
*A ellos les interesa conocer gente que habla español, para practicar.*

a. ¿(Tú) ........................... ayudarme a meter esta maleta en el coche?
b. (Ella) ........................... los programas en los que cuentan chistes.
c. (Nosotros) ........................... escuchar música y bailar.
d. (A los niños pequeños), en general, ........................... los magos.
e. (Yo) no ........................... nada la astrología.
f. ¿No (tú) ........................... ver a niños morir de hambre?
g. (Yo) ........................... los anuncios cuando interrumpen una película.

# ¡Qué guapo es!

**3. Transforma las frases en exclamativas, como en el ejemplo. Utiliza *qué, cómo* o *cuánto*.**

La sopa huele bien.   *¡Qué bien huele la sopa!*

a.  Este libro pesa mucho.
.............................................................................

b.  Tu pluma escribe muy bien.
.............................................................................

c.  David es muy alto.
.............................................................................

d.  Llueve mucho.
.............................................................................

e.  Hace mucho calor.
.............................................................................

f.  Vanesa tiene muchos amigos.
.............................................................................

# Me siento cansado

**4. Marca en el cuadro todas las opciones correctas.**

|              | Estar... | Sentirse... | Ponerse... |
|--------------|----------|-------------|------------|
| ... enfermo  |          |             |            |
| ... seguro   |          |             |            |
| ... nervioso |          |             |            |
| ... solo     |          |             |            |
| ... bien     |          |             |            |
| ... ocupado  |          |             |            |

# COMPRENSIÓN AUDITIVA

1

## ¿Cómo están?

Eva y Adrián no se han visto durante varios meses y hablan de sus amigos.

### 1. ¿De quién estamos hablando?

Marca A para Adrián, E para Eva, y anota la expresión clave para cada caso.

Está sorprendido/a.          *E: (¡Anda! ¡No me digas!)*

a.  No sabe si debe contar algo.          .............................................
b.  Insiste.          .............................................
c.  Describe a otra persona físicamente.          .............................................
d.  Da una mala noticia.          .............................................
e.  Critica a otra persona.          .............................................
f.  Estuvo enfadado/a.          .............................................
g.  Muestra indiferencia.          .............................................

## Una joven mexicana

### 1. Lee y contesta las preguntas.

Nací en 1993, en Mexicali. En estos momentos sigo viviendo en Mexicali, estoy estudiando la preparatoria y cursando mi último semestre. En estos tres años de prepa, tuve la dicha de conocer a dos personas maravillosas que son mis mejores amigas, con ellas he vivido cosas inolvidables, hemos compartido risas, pero también llantos. También tengo a otra persona muy especial: mi novio. Al terminar mis estudios de preparatoria he decidido estudiar para ser maestra de preescolar.

Físicamente, soy una chica de estatura media, soy de piel morena, tengo el cabello castaño oscuro, mis ojos son pequeños de color negro, soy delgada. En cuanto a mi forma de ser, soy amable, un poco seria, cariñosa, dicen que soy muy sensible, y algo triste. A pesar de ser sensible también me enfado mucho y soy celosa, pero sobre todo soy muy orgullosa. Como amiga soy buena persona, no me gusta que me hagan enojar, a veces tardo mucho para que se me baje el coraje y no vuelvo a dirigir la palabra. Mis colores favoritos son el rosa y el morado, me fascina comer frutas y chucherías, son lo mejor que puede existir. Me gusta salir con mi novio y mis amigas, ir al cine, estar en Facebook, me gustan mucho los perros; tengo 4 chihuahuas a los que quiero mucho. Para terminar, extraño a una persona muy especial que perdí hace 5 años. Él es mi papá, lo quise y lo voy a querer siempre. A pesar de eso, trato de ser feliz con mi familia a la que quiero mucho, ya que es muy importante para mí.

Chihuahua

**a.** La persona que escribe es...
   **1.** una mujer mayor        **2.** una niña pequeña        **3.** una chica joven
**b.** ¿Qué opinión tiene de sí misma?
   **1.** Se cree muy lista        **2.** Se cree fea y tonta        **3.** Se describe con objetividad
**c.** ¿Cuál es su principal defecto, en su opinión?
   **1.** Su mal humor        **2.** Es demasiado sensible        **3.** Es muy glotona
**d.** ¿Qué pasa con su padre?
   **1.** Él no la quiere        **2.** Murió        **3.** No lo ve porque viaja mucho
**e.** ¿Qué información no menciona la autora?
   **1.** Sus estudios        **2.** Sus gustos        **3.** Su pasado

### 2. Lee otra vez y elige la mejor opción para explicar el significado de las palabras.

**a.** *Prepa* es...          **1.** la juventud          **2.** un trabajo          **3.** enseñanza secundaria
**b.** *Llanto* es...          **1.** un secreto          **2.** una diversión          **3.** una pena
**c.** *Enojarse* es...          **1.** alegrarse          **2.** enfadarse          **3.** animarse
**d.** *Coraje* es...          **1.** valor          **2.** enfado          **3.** depresión
**e.** *Extrañar a alguien* es...          **1.** pensar mucho en una persona, querer que vuelva
          **2.** no reconocerlo, encontrarlo extraño
          **3.** echarlo de tu lado, olvidarlo

# UN CURSO DE VERANO

## COMUNICACIÓN

### ¿Cuándo?

**1. Relaciona preguntas con respuestas.**

a. ¿Cuándo nos visitarás?
b. ¿Cuándo viste al padre de Julia?
c. ¿Cómo lo organizamos?
d. ¿Cuándo pagamos la matrícula?
e. ¿Cuándo se entrega el carné de identidad?
f. ¿Cuándo se corrige el test teórico?

1. Al entrar en clase.
2. Mientras hago la ensalada, preparas la carne.
3. Antes de irme de viaje.
4. Al llegar a la estación.
5. Mientras se hace la prueba oral.
6. Después de rellenar el formulario.

### Desde hace 5 años

**2. Escribe la respuesta o la pregunta adecuada.**

a. - ¿Desde cuándo esperas a Luis?
   - ...............................................................................
b. - ¿Cómo repartimos las tareas?
   - ...............................................................................
c. - ¿Cuándo hay que lavarse las manos?
   - ...............................................................................
d. - ¿..............................................................................?
   - Empecé hace cinco meses. Me encanta el español.
e. - ¿ ............................................................................?
   - El 12 abril de 2010, en un aeropuerto.
f. - ¿..............................................................................?
   - Desde que llegué a España. Antes no hacía ningún deporte.

### Expresiones de futuro

**3. Relaciona cada frase con la intención de comunicación
a la que corresponde.**

a. ¿Hacemos algo el sábado?
b. ¿Cuándo piensas terminar?
c. Te veo luego.
d. Nos vemos.
e. Ya te lo diré, ¿vale?
f. ¿Tenéis planes para el fin de semana?
g. Si no sales ahora mismo, no vas a llegar.

1. despedida hasta dentro de poco tiempo
2. despedida
3. advertencia
4. propuesta para quedar
5. impaciencia
6. fastidio por la insistencia de otro
7. pregunta antes de invitar a alguien

## Tú, ¿qué crees?

**4. Transforma estos datos aproximados en frases con futuro de hipótesis utilizando el verbo adecuado.**

Barcelona – París 800 km
*Barcelona estará a unos 800 kilómetros de París.*

**a.** Del trabajo – a las 19 horas
**b.** La película – dos horas y media
**c.** Mi profesora de yoga – 50 años
**d.** La casa de Ricardo – 150 metros cuadrados
**e.** Este futbolista – varios millones año
**f.** Esta empresa – 100 empleados

## 🗀 LÉXICO

## El mundo de la educación

**1. Coloca estas palabras en los huecos correspondientes.**

| título    máster    primaria    secundaria    escuela    colegio (2)    licenciado    doctor |

**a.** En español, ............................. y .................................. significan lo mismo. Es el centro de enseñanza donde van los niños entre 6 y 11 años. Pero se usa más la palabra .............................. .

**b.** El que termina la universidad tiene ............................... de ................................... . Después, uno puede hacer uno o varios ......................., o hacer una tesis y convertirse en ....................... .

**c.** La educación obligatoria en España tiene dos partes, de 6 a 12 años se llama educación ..............................., y de 12 a 16, educación ............................... . La educación es obligatoria en España hasta los 16 años.

## Estudiar y trabajar

**2. Elige las palabras más adecuadas para rellenar estos huecos.**

**a.** .............................. es un trámite necesario para entrar en una institución de enseñanza.
   **1.** La matrícula      **2.** La matriculación    **3.** El registro      **4.** El enrolamiento
**b.** En España los ..................................... se puntúan del 0 al 10. Más de 5 es .............................. y menos, .............................. .
   **1.** tests - pasa - no pasa      **2.** exámenes - aprobado - suspenso
   **3.** exámenes - bien - mal      **4.** ejercicios - suspenso - aprobado
**c.** Después de la enseñanza obligatoria, los que quieren ir a la ............................... a estudiar una ............................... universitaria, tienen que hacer el ...............................
   **1.** facultad - enseñanza - doctorado      **2.** facultad - carrera - máster
   **3.** escuela - carrera - MIR      **4.** facultad - carrera - bachillerato
**d.** Los que no desean ir a la universidad pueden estudiar ............................... para aprender una profesión.
   **1.** en una academia    **2.** en una empresa    **3.** Formación Profesional    **4.** bachillerato
**e.** Cada asignatura tiene un ............................... donde se dice cuál es el contenido de cada curso.
   **1.** programa    **2.** currículo    **3.** memorándum    **4.** índice

# El mundo laboral
## 3. Completa las frases con el término que se define.

| congreso | oficio | cursillo | formación | becario | suplente |
|---|---|---|---|---|---|

a. Un ................................ es un curso breve que puede durar unos días o unas semanas.
b. Un ................................ es una reunión de especialistas en el que hay conferencias sobre un tema.
c. Un ................................ es un profesor que cubre el puesto de otro profesor que está de baja.
d. Si uno quiere aprender algo nuevo, debe hacer cursos de ................................ en esa actividad.
e. Un ................................ es un estudiante de los últimos años de la carrera que hace prácticas en una empresa.
f. Algunas personas en vez de estudiar una carrera prefieren aprender un ................................, como por ejemplo carpintero, fontanero o mecánico.

# GRAMÁTICA

## Cuando, al, mientras, antes de, después de
### 1. Completa con estas expresiones temporales.

a. Voy a ponerme a leer un rato .................... termina la lavadora.
b. .................... hablo en público, siempre me pongo muy nervioso.
c. .................... entrar dejen salir.
d. Mi hijo hace lo que quiere. Llega .................... quiere, se marcha .................... quiere, se acuesta .................... quiere.
e. ¿Estabas aquí? Perdona, no te he visto .................... pasar.
f. .................... bañarse en la piscina es obligatorio darse una ducha y .................... bañarse hay que darse otra ducha para quitarse el cloro.
g. .................... llegar a la plaza, gira a la izquierda y continúa unos doscientos metros.

## ¿Correcto o incorrecto?
### 2. Señala cuáles de estas frases son correctas (C), cuáles son incorrectas (I), y corrígelas.

a. [ ] Vivo en Barcelona desde que llegué a España, hace tres meses.
b. [ ] Hace tres horas que te espero.
c. [ ] Llegué a Argentina desde hace un mes.
d. [ ] Mis padres viven en Andalucía desde 1997.
e. [ ] Empecé a estudiar Periodismo desde hace dos años.
f. [ ] Te espero desde tres horas.
g. [ ] Hace dos años vivo en España.

## ¡A conjugar!
### 3. Conjuga estos verbos en futuro.

|  | Estudiar | Haber | Tener | Poner | Venir |
|---|---|---|---|---|---|
| (Yo) |  |  |  |  |  |
| (Tú) |  |  |  |  |  |
| (Él/ella/Ud.) |  |  |  |  |  |
| (Nosotros/as) |  |  |  |  |  |
| (Vosotros/as) |  |  |  |  |  |
| (Ellos/as/Uds.) |  |  |  |  |  |

## Así lo haremos

### 4. Pon estas frases en futuro como en el ejemplo.

Vale, nos vemos mañana. *Vale, nos veremos mañana.*

a. Si llegáis pronto, hacemos una barbacoa.
b. Los niños se ponen enfermos si no llevan ropa de abrigo.
c. Si no podemos llegar a tiempo, les llamamos y se lo decimos.
d. Si no ve bien, tiene que ir al especialista.
e. ¿Qué hacemos con toda la comida que ha sobrado?
f. Yo me pongo aquí delante, al lado del conductor, y vosotros os ponéis detrás.

## Estará enfermo

### 5. Plantea hipótesis con futuro para las siguientes situaciones.

Hoy no ha venido Pedro a clase de español.
*Tendrá un examen en la universidad.*

a. El profesor de español lleva una bufanda dentro de clase.
b. Tu mejor amiga no contesta a tus llamadas desde hace dos días.
c. Hay una ventana de la casa de enfrente que siempre está cerrada.
d. Juan Manuel tiene acento colombiano al hablar español.
e. Siempre que la profesora pregunta a Giovanni, él se pone colorado.
f. Mi coche no funciona.

## COMPRENSIÓN AUDITIVA

2

### Encuesta callejera
Ana trabaja para la televisión e intenta hacer
una encuesta callejera, pero tiene poco éxito.

### 1. Ana hace la misma pregunta, con ligeras variaciones, de cinco maneras diferentes. Escucha y escríbelas.

a. ¿Desde cuándo .................................................................................................................?
b. ¿Cuánto .........................................................................................................................?
c. ...................................................................................................................................
d. ...................................................................................................................................
e. ...................................................................................................................................

### 2. Vuelve a escuchar el audio y contesta las preguntas.

a. ¿Crees que el hombre es simpático o antipático? ¿Por qué?
b. El hombre pide a Ana que le hable de *usted*, pero él la trata de *tú*. ¿Por qué? ¿Es esto habitual en España?
c. El hombre utiliza dos palabras para dirigirse a Ana. ¿Cuáles son?
    1. ...........................................……..
    2. ...........................................……..
d. ¿Esas palabras resultan simpáticas o todo lo contrario? ¿Por qué?
e. La actitud del hombre cambia en un momento de la conversación. ¿Cuándo y por qué?
f. ¿Crees que el hombre tiene razón al no querer contestar a las preguntas? ¿Es Ana demasiado insistente?

# COMPRENSIÓN LECTORA

## La Residencia de Estudiantes

**1. Después de leer el texto, relaciona cada palabra con su definición.**

Luis Buñuel

Este es el nombre de una de las instituciones culturales más emblemáticas de lo que suele llamarse *la Edad de Plata*, el periodo anterior a la Guerra Civil española, en el que la cultura, las artes y la ciencia experimentaron una evolución espectacular en España. La Residencia de Estudiantes estaba, y está, en Madrid, en la llamada *Colina de los Chopos*, una elevación al norte de la ciudad, frente al paseo de la Castellana, enteramente ocupada por instituciones culturales. Durante los años 20 y 30, la Residencia de Estudiantes (*la Resi*, como la llamaban muchos de los que vivían allí) fue el lugar de encuentro de pintores, músicos, poetas, científicos y filósofos. Allí vivían Federico García Lorca y Salvador Dalí, amigos íntimos hasta que apareció Luis Buñuel, que enemistó a Dalí con Lorca. *Un perro andaluz*, la primera película surrealista española, la hicieron Buñuel y Dalí durante su periodo en la Residencia. Allí vivieron los poetas Rafael Alberti, Jorge Guillén y Juan Ramón Jiménez. Otros visitantes habituales eran el médico Severo Ochoa, los poetas Luis Cernuda y Antonio Machado, el filósofo Ortega y Gasset… La flor y nata de la cultura española conversaba en los jardines de *la Resi*, asistía a conferencias y a conciertos (el sonido del piano de Lorca era allí habitual en esos días), editaba revistas y también se divertía haciendo toda clase de bromas, ya que a pesar de ser genios del arte y de las letras, eran también jóvenes y tenían ganas de divertirse, como cuenta Rafael Alberti en su libro de memorias *La arboleda perdida*.

Después de un periodo de olvido durante el franquismo, la Residencia de Estudiantes fue rehabilitada como institución cultural y hoy sus diversos edificios acogen exposiciones, cursos, conciertos y también proporcionan alojamiento a estudiantes e investigadores.

Federico García Lorca

Salvador Dalí

| | | | |
|---|---|---|---|
| a. | Espectacular | 1. | Lugar donde vivir |
| b. | Colina | 2. | Hacer que dos personas dejen de ser amigas |
| c. | Enemistar | 3. | Charlar, tener una conversación |
| d. | La flor y nata | 4. | Volver a poner en uso un edificio, una institución, etc. |
| e. | Conversar | 5. | Muy importante |
| f. | Alojamiento | 6. | Las personas de más fama y prestigio en algún ámbito |
| g. | Rehabilitar | 7. | Elevación del terreno |

**2. Vuelve a leer el texto y contesta las preguntas.**

a. ¿Qué es la Edad de Plata?
b. ¿Qué es la Colina de los Chopos?
c. Además de poeta y dramaturgo, ¿qué otra actividad artística practicaba Lorca?
d. ¿Cómo eran los jóvenes artistas e intelectuales que vivían en la Residencia?
e. ¿Sabes algo de las personas mencionadas en el texto?

**3. Investiga por tu cuenta y relaciona los artistas con sus actividades y obras.**

| | | | |
|---|---|---|---|
| a. | Federico García Lorca | 1. | Poeta, *Platero y yo* |
| b. | Salvador Dalí | 2. | Poeta, *Campos de Castilla* |
| c. | Rafael Alberti | 3. | Pintor, *La persistencia de la memoria* |
| d. | Luis Cernuda | 4. | Filósofo, *España invertebrada* |
| e. | Ortega y Gasset | 5. | Poeta, *La realidad y el deseo* |
| f. | Juan Ramón Jiménez | 6. | Poeta, *Marinero en tierra*, *La arboleda perdida* |
| g. | Antonio Machado | 7. | Poeta y dramaturgo, *Poeta en Nueva York* |

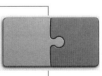

# AUTOEVALUACIÓN

**Portfolio: evalúa tus conocimientos**

Después de las unidades 1 y 2

Fecha: ...............................................

##  COMUNICACIÓN

Soy capaz de hablar de la personalidad
Escribe las expresiones: _____

Soy capaz de expresar sentimientos y reaccionar
Escribe las expresiones: _____

Soy capaz de expresar gustos e intereses
Escribe las expresiones: _____

Soy capaz de situar acciones en el tiempo
Escribe las expresiones: _____

Soy capaz de hablar del futuro
Escribe las expresiones: _____

Soy capaz de expresar acuerdo y desacuerdo
Escribe las expresiones: _____

## GRAMÁTICA

Puedo diferenciar el uso de *ser* y *estar*
Escribe algunos ejemplos: _____

Puedo construir frases exclamativas
Escribe algunos ejemplos: _____

Puedo usar verbos como *gustar: divertir, importar,* etc.
Escribe algunos ejemplos: _____

Puedo usar *estar, sentirse* y *ponerse* + adjetivo
Escribe algunos ejemplos: _____

Puedo usar oraciones temporales:
 -*cuando, al* + infinitivo, *mientras, antes de, después de, hace, hace …
que, desde hace, desde que*
Escribe algunos ejemplos: _____

Puedo conjugar los verbos en futuro simple
Escribe algunos ejemplos: _____

##  LÉXICO

Conozco las palabras de descripción de carácter
Escribe las palabras que recuerdas: _____

Conozco las palabras relacionadas con la educación
Escribe las palabras que recuerdas: _____

# MUNDO EN MARCHA

 **COMUNICACIÓN**

## ¿Lo has hecho ya?
### 1. Escribe la pregunta.

a. - .................................................................... - No, no lo he visto.
b. - .................................................................... - Sí, se las he dado a Carlota.
c. - .................................................................... - Porque no los quería nadie.
d. - .................................................................... - Se me han caído cuando entraba en el coche y se han roto.
e. - .................................................................... - No sé, no la he visto todavía.
f. - .................................................................... - Sí, ya las he llevado.

## Ojalá tengas éxito
### 2. Contesta y reacciona con *ojalá, quizá, tal vez o puede que.*

a. - Estoy preocupada porque no me ha llamado Carmen.
   - ................................................................

b. - Voy a volver a llamarle para ver si ha recibido el mensaje.
   - ................................................................

c. - Tu hijo ha estudiado muchísimo. Seguro que aprueba el examen.
   - ................................................................

d. - No sé si es feliz así, dedicada a su trabajo, a sus hijos, a su casa.
   - ................................................................

e. - Estoy muy cansado, tengo mucho trabajo.
   - ................................................................

f. - ¿Qué van a hacer en tu empresa con este empleado?
   - ................................................................

 **LÉXICO**

## El mundo laboral
### 1. Elige la opción correcta.

a. Mi hermana Claudia está desanimada, porque lleva ya seis meses ...............
    **1.** de paro         **2.** en paro         **3.** con paro     **4.** en desempleo

b. Me gusta ser ................... porque no tengo horario y además soy mi propio jefe.
    **1.** independiente    **2.** autoempleado    **3.** autónomo     **4.** libre

c. He conseguido un trabajillo, pero solo con un contrato .............................
    **1.** temporal        **2.** provisional      **3.** mensual      **4.** basura

d. Lo normal cuando se hace un ............................... es poner primero lo más reciente y lo más importante.
    **1.** permiso        **2.** currículum     **3.** vítae       **4.** contrato

e. La .................... laboral en España es de ocho horas diarias, es decir, 40 horas semanales.
    **1.** jornada        **2.** día         **3.** actividad     **4.** práctica

# ¿Qué hacen?

**2. Une cada profesión con su definición.**

| recepcionista | constructor/-a | auxiliar de vuelo | administrativo/a | empleado/a del hogar | asistente técnico sanitario: ATS |

a. .....................................: persona que se ocupa de las tareas de la casa.
b. .....................................: persona que sirve a los pasajeros en un avión.
c. .....................................: persona que cuida a los enfermos en un hospital.
d. .....................................: persona que atiende a los que entran en una oficina.
e. .....................................: persona que desarrolla tareas administrativas en una oficina.
f. .....................................: persona que se dedica a edificar viviendas.

# GRAMÁTICA

## ¡A conjugar!

**1. Conjuga estos verbos regulares en presente de subjuntivo.**

|  | Estudiar | Leer | Escribir |
|---|---|---|---|
| (Yo) |  |  |  |
| (Tú) |  |  |  |
| (Él/ella/Ud.) |  |  |  |
| (Nosotros/as) |  |  |  |
| (Vosotros/as) |  |  |  |
| (Ellos/as/Uds.) |  |  |  |

**2. Conjuga estos verbos irregulares en presente de subjuntivo.**

|  | Salir | Tener | Llegar | Tocar |
|---|---|---|---|---|
| (Yo) |  |  |  |  |
| (Tú) |  |  |  |  |
| (Él/ella/Ud.) |  |  |  |  |
| (Nosotros/as) |  |  |  |  |
| (Vosotros/as) |  |  |  |  |
| (Ellos/as/Uds.) |  |  |  |  |

## Que vengan cuando quieran
**3. Completa las frases con el verbo en presente de subjuntivo.**

**a.** No es muy lógico que (llegar, tú) ............................. pronto al trabajo y que (salir, tú) ............................. tarde.
**b.** Quizá (tener, él) ............................. razón. Es mejor que (ir, tú) ............................. con él.
**c.** Ahora que tiene hijos puede que (pedir, ella) ............................. una reducción de jornada laboral.
**d.** Cuando (estar, yo) ............................. en la playa, ojalá (venir, vosotros) ............................. a verme.
**e.** Es posible que (llegar, él) ............................. tarde a casa. Tiene mucho trabajo.
**f.** Cuando (salir, ellas) ............................. con sus amigas, seguro que se divertirán.

## ¿Indicativo o subjuntivo?
**4. Completa las siguientes frases con un verbo en indicativo o subjuntivo.**

**a.** Este verano ha llovido muy poco. Ojalá ...................................................................................
**b.** Gloria y esa chica se parecen muchísimo. Puede que ..........................................................
**c.** Creo que Ángel y su novia ......................................................................................................
**d.** Santi no ha llegado todavía. Quizá ........................................................................................
**e.** Me parece que ................................................................................................... mucha suerte.
**f.** Estoy esperando a Pedro desde la una. Seguro que ...............................................................

### Lo, la, los, las, le, les
**5. Elige el pronombre adecuado.**

**a.** Mira el perro en el jardín. ¿.................... ves?
**b.** No .................... llames ahora, porque se van a poner más nerviosos.
**c.** Sé que me lo has explicado varias veces, pero no .................... entiendo.
**d.** ¡Qué guapa! Me suena mucho su cara, creo que .................... conocí el año pasado.
**e.** Ya .................... he dicho a tu hermana que podía venir si quería.
**f.** ¿El dinero? Ella asegura que .................... han enviado sus padres.

## Compra este libro
**6. Pon los verbos en imperativo.**

(Comprar, tú) la pistola de agua a los niños.
*Compra la pistola de agua a los niños.*

**a.** (Comer, vosotros) el bocadillo de salami.
.........................................................................................................................................................

**b.** (Quitar, tú) rápido la mesa, por favor.
.........................................................................................................................................................

**c.** (Escribir, ustedes) a su familia.
.........................................................................................................................................................

**d.** (Contar, tú) lo que ha pasado a tus padres.
.........................................................................................................................................................

**e.** (Preguntar, usted) a la vecina dónde vive Carlos.
.........................................................................................................................................................

**f.** (Explicar, vosotros) lo que le ha pasado a ella.
.........................................................................................................................................................

## Cómpralo

**7. Ahora sustituye las partes subrayadas por pronombres, como en el ejemplo: primero solo el directo, después el indirecto y luego los dos (si los hay).**

(Comprar, tú) <u>la pistola de agua</u> <u>a los niños</u>.  *Compra la pistola de agua a los niños.*
*Cómprala a los niños. Cómprales la pistola de agua. Cómprasela.*

a. (Comer, vosotros) <u>el bocadillo de salami.</u>  ....................................................................
b. (Quitar, tú) rápido <u>la mesa</u>, por favor.  ....................................................................
c. (Escribir, ustedes) <u>a su familia.</u>  ....................................................................
d. (Contar, tú) <u>lo que ha pasado</u> <u>a tus padres.</u>  ....................................................................
e. (Preguntar, usted) <u>a la vecina</u> dónde vive Carlos.  ....................................................................
f. (Explicar, vosotros) <u>lo que le ha pasado</u> <u>a ella.</u>  ....................................................................

## 🔊 COMPRENSIÓN AUDITIVA

### 3 Lucía hace una entrevista de trabajo
**1. Escucha y contesta las preguntas.**

a. ¿Por qué Lucía habla de *tú* al entrevistador?
b. ¿Por qué ha dejado su último trabajo?
c. ¿Por qué ha elegido esta empresa? Lucía da dos razones:
1.ª ..................................    2.ª ..................................
d. ¿Cuál es, según Lucía, su mejor cualidad?
e. ¿Crees que Lucía contesta bien a las preguntas?
f. ¿Hay alguna respuesta que parece que no le gusta al entrevistador?
g. ¿Crees que es sincera en sus respuestas?
h. ¿Crees que Lucía tiene posibilidades de ser contratada?

## 📖 COMPRENSIÓN LECTORA

Fundación Archivo de Indianos
Museo de la Emigración

### Eternos emigrantes
**1. Después de leer el texto, relaciona estos términos con su definición.**

España e Hispanoamérica tienen una larga historia de migraciones de un lado al otro del Atlántico. Todo comenzó en 1492, cuando tres barcos enviados por la Corona española llegaron a las islas del Caribe y *descubrieron* América. A partir de entonces, muchos españoles emigraron a América, sobre todo de zonas pobres como Andalucía y Extremadura, lo cual explica las peculiaridades del español de América, que se origina sobre todo en el habla andaluza.

La emigración a América fue muy fuerte a finales del siglo XIX, sobre todo en las regiones del norte de España, Galicia, Cantabria y Asturias. En Asturias existe un museo de la emigración, la Fundación Archivo de Indianos, en Colombres, instalado precisamente en una *casa de indiano*. *Indianos* era el nombre de los que habían ido a las Indias (es decir, a América) y habían vuelto ricos. Para demostrar su prosperidad construían mansiones o palacetes extravagantes, y plantaban en sus jardines especies y árboles exóticos traídos del otro lado del mar.

Después de la Guerra Civil española, fueron muchos los que emigraron a América por motivos políticos, especialmente a México. Más tarde, en la posguerra, una época dura para la economía española, muchos españoles volvieron a emigrar a América para intentar *hacer fortuna*. Sin embargo, en los años 70 con la aparición de dictaduras militares en países como Argentina o Uruguay millones de ciudadanos de esos países emigraron a España para escapar de la persecución política o para encontrar un lugar más tranquilo y próspero donde vivir. A finales del siglo XX, el bienestar económico de España motivó la emigración de muchos hispanoamericanos, especialmente ecuatorianos, bolivianos y dominicanos a España en busca de trabajo. Esta emigración se intensificó durante los diez primeros años del siglo XXI. Muchos de ellos tuvieron que regresar a su país de origen cuando se inició la crisis.

*www.archivodeindianos.es*

a. Migración
b. Peculiaridad
c. Habla
d. Instalado
e. Prosperidad
f. Mansión
g. Palacete
h. Extravagante
i. Posguerra

1. Característica especial
2. Lengua
3. Riqueza
4. Casa muy grande y lujosa
5. Viaje a otro país o a otra región
6. Pequeño palacio
7. Raro, fuera de lo normal
8. Periodo posterior a la Guerra Civil española
9. Situado

## 2. Contesta las preguntas.

a. ¿Por qué el español de América se parece más al de Andalucía que al de Castilla?
b. ¿Qué es un *indiano*?
c. ¿Por qué los indianos se hacían casas muy grandes al volver a España?
d. ¿Ha tenido influencia la política en algunas de las migraciones entre España y América?
e. Los españoles no sienten que los ciudadanos de países hispanoamericanos sean extranjeros aunque tengan un pasaporte diferente. ¿Sientes lo mismo con los ciudadanos de algún país?

## 3. En el texto se describen varias migraciones entre España e Hispanoamérica. Di cuándo suceden y por qué.

| De España | | a América |
|---|---|---|
| | CUÁNDO | MOTIVO |
| 1 | | |
| 2 | | |
| 3 | | |
| 4 | | |
| De América | | a España |
| 1 | | |
| 2 | | |

# EN CASO DE ACCIDENTE

 **COMUNICACIÓN**

## Cuando eras pequeño
### 1. Escribe la pregunta adecuada.

a. ¿ .......................................................? ¿A montar en bici? A los seis años.
b. ¿.......................................................? ¡Uf!, el colegio lo odiaba.
c. ¿.......................................................? ¿A Barcelona? Muchas veces.
d. ¿ .......................................................? Sí, me rompí el brazo a los 12 años.
e. ¿.......................................................? ¿Tímido? ¡Qué va!
f. ¿.......................................................? No, no siempre los hacía.

## ¿Te gusta conducir?
### 2. Relaciona las columnas.

a. ¿Te gusta conducir?
b. ¿Cuánto tiempo hace que tienes el carné de conducir?
c. ¿Te sacaste el carné a la primera?
d. ¿Ha tenido algún conocido tuyo un accidente de tráfico?
e. ¿De quién fue la culpa?
f. ¿Dónde hay más accidentes, en la ciudad o en la carretera?

1. No, qué va, a la tercera. Me ponía muy nervioso el día del examen.
2. Yo creo que en la ciudad, pero no lo sé con seguridad.
3. Sí, me encanta.
4. Pues aproximadamente cinco años.
5. Sí, mi novia. ¡Qué susto, madre mía! Pero no fue nada grave.
6. Del peatón que no respetó el semáforo en rojo.

## LÉXICO

## Partes de un coche
### 1. Completa la foto con estas palabras.

- el volante
- el retrovisor
- la ventanilla
- el motor
- el maletero
- la puerta
- la rueda

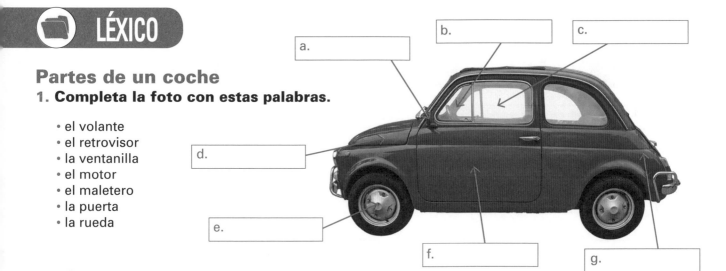

a.
b.
c.
d.
e.
f.
g.

# El intruso

## 2. Tacha la palabra que es diferente y explica por qué.

a. seguro médico, botiquín, primeros auxilios, duchas, socorrista
b. andar, adelantar, frenar, poner el intermitente, circular
c. testigo, conductor, motorista, enfermero, policía
d. herida, corte, resfriado, quemadura, rotura
e. semáforo, multa, paso de cebra, señal de stop, límite de velocidad

# Los contrarios

## 3.a. Relaciona los contrarios.

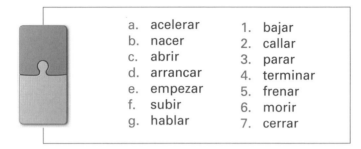

| | | |
|---|---|---|
| a. | acelerar | 1. bajar |
| b. | nacer | 2. callar |
| c. | abrir | 3. parar |
| d. | arrancar | 4. terminar |
| e. | empezar | 5. frenar |
| f. | subir | 6. morir |
| g. | hablar | 7. cerrar |

## b. Ahora completa las frases con estos verbos en la forma adecuada.

a. Ayer Federico no ................................ en toda la tarde. Estaba enfadado conmigo; no dijo ni una palabra.
b. Lo que hago para adelgazar es ............................ y ............................ escaleras, así, me mantengo en forma.
c. Esta moto ................................ muy rápido, tiene mucha potencia.
d. Ver ............................ a un bebé es una de las cosas más bonitas del mundo.
e. Mis amigos ............................ a trabajar justo al ............................ la universidad en 2010.
f. El cocinero ............................ la puerta del armario de arriba y se dio un golpe muy fuerte en la cabeza.

# GRAMÁTICA

## Afirmativo o negativo

### 1. Lee y completa con el verbo en la forma adecuada del imperativo.

a. Solo tenemos 10 euros. (Gastar, tú) ............................ más dinero en regalos.
b. ¡(Levantarte) ................................ ya! Son más de las diez.
c. (Conducir, Ud.) ................................ más despacio. Esta carretera es peligrosa.
d. No tenéis nada para curar heridas. (Deber, vosotros) ............................ comprar alcohol y algodón.
e. (Ir, tú) ............................ en moto hoy. Está lloviendo mucho.
f. (Ayudar, Ud, a mí.) ................................ por favor. No puedo levantar esta maleta.

## Dar consejos

### 2. Da consejos utilizando diferentes formas.

Si un amigo suspende varias asignaturas, tú le dices:

*Deberías estudiar más y salir menos.*
*Estudia más y sal menos.*

a. Si ves una persona cruzando sin respetar el semáforo. ......................................................................
b. Si alguien come demasiadas grasas. ......................................................................
c. Si el suelo de tu casa está mojado. ......................................................................
d. Cuando ves a alguien que no se separa de su móvil. ......................................................................
e. Cuando a alguien le duele mucho la cabeza. ......................................................................
f. Cuando un amigo no sabe cocinar un plato. ......................................................................

## Accidentes domésticos

**3. Escribe los verbos que van entre paréntesis en imperativo en la forma _usted_.**

# PREVENCIÓN DE RIESGOS
# SEGURIDAD EN EL HOGAR

GOBIERNO DE ESPAÑA | MINISTERIO DE SANIDAD Y POLÍTICA SOCIAL

Los accidentes en casa son más comunes de lo que imaginamos, una caída en el cuarto de baño, golpes con el mobiliario de la casa, cortes accidentales, quemaduras, etc. Lo más importante es actuar rápidamente y de la forma más adecuada en función del tipo de accidente. Tenga cerca un botiquín de primeros auxilios.

**Algunos consejos para prevenir accidentes en el hogar**

**1.º Esquinas afiladas:**
(Cambiar) ........................ las esquinas afiladas por esquinas redondeadas, (colocar) ........................ los muebles de manera que no estén expuestos a los lugares de paso.

**2.º Cuidado con los suelos:**
No (abrillantar) ........................ con cera los suelos en su hogar si hay niños pequeños o personas mayores. (Evitar) ........................ las alfombras; son muy decorativas, pero peligrosas y puede tropezar con ellas.

**3.º Ojo con los medicamentos y artículos de limpieza:**
(Mantener) ........................ siempre todos los productos de limpieza, medicamentos y botiquín de primeros auxilios fuera del alcance de los niños. (Instalar) ........................ sistemas de seguridad en los armarios bajos de la cocina.

**4.º Los juguetes de los niños deben ser seguros:**
(Comprar) ........................ solo juguetes correctamente homologados. La toxicidad de algunos juguetes es muy peligrosa.

**5.º Golpes y descuidos:**
No (sacar) ........................ cosas de armarios superiores sin cerrar la puerta, puede golpearse la cabeza.

**6.º Accidentes en el baño:**
Los accidentes en la bañera son frecuentes y pueden ser muy peligrosos. (Poner) ........................ una alfombra antideslizante y, si hay personas mayores en casa, (instalar) ........................ los pasamanos para que puedan moverse con mayor seguridad.

**7.º Las escaleras:**
(Acostumbrar) ........................ a sus hijos a que bajen las escaleras andando, y no corriendo o saltando.

**8.º Pies descalzos (sin zapatos):**
No (caminar) ........................ descalzo por casa, puede resbalarse o romperse los dedos del pie al chocar contra los muebles.

http://www.euroresidentes.com/vivienda/mantenimiento-casa/accidentes-domesticos-hogar.htm

## Los tiempos del pasado

**4. Completa el texto con los verbos en pretérito perfecto compuesto, simple o imperfecto.**

En mi vida (tener, yo) ................ momentos muy felices, sobre todo recuerdo cosas concretas que (hacer) ................ cuando (vivir) ................ con mis padres y todavía (ser) ................ un niño. De pequeños, mis hermanos y yo (ir) ................ todos los veranos al campamento de playa que (haber) ................ en la costa alicantina cerca de nuestra ciudad, Elche. El campamento (empezar) ................ a primeros de julio y (durar) ................ un mes. (Ser) ................ un mes maravilloso de sol, deporte, playa y amigos. Aún me acuerdo cuando el monitor de vela me (decir) ................: «¿(Montar, tú) ................ alguna vez en barco?», y yo le (contestar) ................: «No, nunca porque me mareo». Y él (añadir) ................: «Pues te voy a enseñar y vas a disfrutar del mar toda tu vida». Desde entonces (navegar) ................ casi todos los fines de semana y (disfrutar) ................ muchísimo del mar y del viento.

## 🔊 COMPRENSIÓN AUDITIVA

### 4 Las principales causas de los accidentes de tráfico

**1. ¿Cuáles crees que son? Marca las que creas y añade alguna otra si lo consideras oportuno.**

a. ☐ La excesiva velocidad      b. ☐ Las distracciones
c. ☐ El alcohol u otras sustancias   d. ☐ La climatología
e. ☐ La falta de experiencia del conductor   f. ☐ El cansancio, el sueño
g. Otras ................................................

**2. Escucha el audio y comprueba si tenías razón.**

**3. ¿Qué significan estas palabras del audio?**

| | | |
|---|---|---|
| a. desencadenar: | 1. provocar | 2. evitar |
| b. vía: | 1. carretera o camino | 2. vías del tren |
| c. asfalto: | 1. tela metálica que se pone en las carreteras | 2. capa que cubre las carreteras para que el suelo esté liso |
| d. colisión: | 1. choque | 2. adelantamiento |
| e. precaución: | 1. preocupación | 2. cuidado |
| f. somnolencia: | 1. sueño | 2. cansancio |

**4. Escucha otra vez y contesta a las preguntas.**

a. ¿Cuáles y cuántos son los factores que pueden desencadenar los accidentes de tráfico?
b. ¿Qué es el factor *vía*?
c. En el factor *vehículo,* ¿qué dos fallos mecánicos se mencionan?
d. ¿Qué condiciones climatológicas adversas se mencionan?
e. ¿Qué causa entre el 70 y el 90 % de los accidentes según las estadísticas?
f. Ordena según el audio los cuatro errores humanos que podrían dar lugar a los accidentes de tráfico:

   ☐ La impaciencia y las prisas.
   ☐ La falta de experiencia del conductor.
   ☐ Conducir bajo los efectos del alcohol y otras sustancias.
   ☐ Las distracciones y el cansancio.

g. ¿Qué conlleva conducir bajo los efectos del alcohol u otras drogas?
h. ¿Cada cuánto tiempo se aconseja una parada para descansar cuando se conduce?
i. Según el final de la comprensión auditiva, ¿cómo se podrían reducir los accidentes?

## Un acto de generosidad

### 1. Lee el texto.

En un pueblecito mexicano cerca de Ciudad de México había una vez un hombre de unos 70 años llamado Ramón que era bastante pobre, se ganaba la vida vendiendo ropa. Salía todos los días a trabajar y regresaba con algo de dinero y así mantenía a su esposa. La pobreza y las dificultades de la vida no derrotaban al hombre. Seguía trabajando y siempre tenía buen ánimo para hacer las cosas.

Ramón siempre había deseado tener una bicicleta. Así que un día compró una. Cuando llegó a casa le dijo a su mujer: «Mira qué bicicleta he conseguido a muy buen precio». Y se puso a repararla porque estaba estropeada y vieja. Pasaron varias semanas y la bicicleta estaba a punto de quedar lista para el primer paseo. ¡El hombre estaba muy emocionado y tenía toda la ilusión del mundo por probar su bici!

A los pocos días, Ramón se encontró con un amigo.

-¡Hola, Juan! ¿Dónde has estado? Hace mucho que no te veía -preguntó con su característico buen humor.

Juan solo lo miró y le respondió:

-Pues trabajando -dijo con tristeza. -Lo que pasa es que hace unos días unos ladrones entraron a mi casa y me robaron la bicicleta con la que salía a vender mis tacos (comida tradicional mexicana). También se llevaron mi estufa, los tanques de gas y hasta mi ropa. Ahora ya no tengo con qué trabajar. Por suerte, mi primo me prestó una estufa chiquita y con eso podré hacer mis tacos, aunque sea saldré a vender cargando la canasta en los hombros. Juan era uno de los muchos hombres que se ganan la vida vendiendo tacos por las calles de la Ciudad de México.

El viejo escuchó toda la historia de su amigo y suspiró.

-Juan, yo tengo una bicicleta que te puede servir. Te la regalo. Ve por ella a mi casa cuando puedas. Pero el lunes quiero que comiences a trabajar en bicicleta.

Con lágrimas en los ojos, Juan aceptó.

Y el bueno de Ramón le dio su bicicleta a alguien que la necesitaba más, sin importarle lo mucho que había trabajado en repararla y la ilusión con que la había comprado.

*Adaptado de www.chocobuda.com (historias reales de generosidad)*

### 2. Relaciona estas palabras con su definición.

| | | | |
|---|---|---|---|
| a. | Reparar | 1. | Cesto para llevar cosas, generalmente con dos asas. |
| b. | Estropeado | 2. | Deteriorado, roto. |
| c. | Estufa | 3. | Dar, ofrecer. |
| d. | Chiquita | 4. | Aparato para cocinar o calentar. |
| e. | Canasta | 5. | Arreglar una cosa estropeada. |
| f. | Regalar | 6. | Pequeña. |

### 3. Contesta las preguntas.

a. ¿Cuál de estas frases crees que resume mejor el texto?
   1. Que los sueños a veces se hacen realidad.
   2. Que hay que ayudar a los que tienen menos que tú.
   3. Que el trabajo nos hace felices y fuertes.
b. ¿A qué se dedicaba Ramón?
c. ¿Qué hacía cada día?
d. ¿Le afectaba mucho su situación económica? ¿Por qué? ¿Por qué no?
e. ¿Tardó mucho en arreglar su bicicleta? ¿Cómo se sentía?
f. ¿Por qué estaba su amigo Juan triste? ¿Qué le había pasado?
g. ¿Cómo se ganaba la vida Juan? ¿Por qué el robo de la bici le afectó tanto?
h. ¿Qué buena obra hizo Ramón? ¿Tú harías lo mismo por un amigo?
i. En el cuento hay muchos ejemplos de pretérito perfecto simple, compuesto y pretérito imperfecto. Subráyalos y escribe un ejemplo con cada forma verbal.

# AUTOEVALUACIÓN

**Portfolio: evalúa tus conocimientos**

Después de las unidades 3 y 4

Fecha: ...............................................

 **COMUNICACIÓN**

Soy capaz de expresar posibilidad e hipótesis
Escribe las expresiones: _____

Soy capaz de expresar deseos
Escribe las expresiones: _____

Soy capaz de enumerar ventajas e inconvenientes
Escribe las expresiones: _____

Soy capaz de contar hechos en pasado
Escribe las expresiones: _____

Soy capaz de reaccionar y valorar
Escribe las expresiones: _____

Soy capaz de dar consejos e instrucciones
Escribe las expresiones: _____

 **GRAMÁTICA**

Puedo conjugar los verbos en presente de subjuntivo
Escribe algunos ejemplos: _____

Puedo usar *puede que, quizá* y *ojalá*
Escribe algunos ejemplos: _____

Puedo utilizar los pronombres personales de objeto directo e indirecto
Escribe algunos ejemplos: _____

Puedo colocar y usar los pronombres correctamente
Escribe algunos ejemplos: _____

Puedo usar y contrastar los tiempos del pasado: pretérito perfecto compuesto, pretérito perfecto simple y pretérito imperfecto
Escribe algunos ejemplos: _____

Puedo formar y utilizar el imperativo afirmativo y negativo
Escribe algunos ejemplos: _____

 **LÉXICO**

Conozco las palabras relacionadas con el trabajo
Escribe las palabras que recuerdas: _____

Conozco las palabras relacionadas con el cuerpo humano
Escribe las palabras que recuerdas: _____

## Nivel alcanzado

| Insuficiente | Suficiente | Bueno | Muy bueno |
| --- | --- | --- | --- |

# COMPRA ORIGINAL

##  COMUNICACIÓN

### ¡Instrucciones mezcladas!

**1. Separa las instrucciones (7 de cada proceso), ponlas en orden, y redáctalas adecuadamente con *se* impersonal.**

Se han mezclado las instrucciones para hacer dos cosas distintas:

- **Cobrar con una tarjeta de crédito: TC**
- **Comprar ropa por Internet en unos grandes almacenes: I**

| **TC** | Pasar la etiqueta del producto por el lector de código de barras:<br>*Se pasa la etiqueta del producto por el lector de código de barras.* |

Cobrar con una tarjeta de crédito: TC

| | Escribir la talla y el color deseados. |
| | Hacer clic sobre la sección deseada. |
| | Comprobar todos los datos: precio y referencia. |
| | Pulsar *aceptar* en el terminal. |
| | Esperar a recibir la confirmación de la venta. |
| | Entregar la tarjeta y el comprobante al cliente. |
| | Entrar en la página web de los grandes almacenes. |
| | Buscar el producto en el buscador. |
| | Meter la tarjeta en el terminal y teclear el precio del producto. |
| | Hacer clic sobre *comprar*. |
| | Imprimir el comprobante de la compra. |
| | Sacar la tarjeta y el comprobante. |
| | Pedir al cliente que teclee su número secreto. |
| | Rellenar los datos personales y el número de tarjeta de crédito. |

### Hablar de precios

**2. Relaciona estas réplicas.**

Comprar por Internet: I

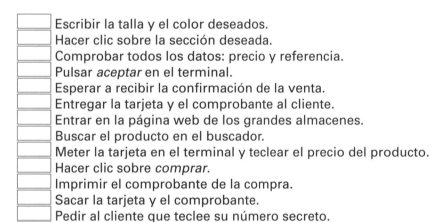

| | | | |
|---|---|---|---|
| a. | ¿Cuánto cuestan los calcetines? | 1. | Bueno, no es tan barato. |
| b. | ¿Los tiene de algodón? | 2. | No, de lana o de fibra. |
| c. | ¡Menuda ganga te llevas! | 3. | Te lo puedo dejar en seis. |
| d. | Busco una cartera de piel, para hombre. | 4. | Llévatela. No te arrepentirás. |
| e. | Esta bufanda es buena, ¿verdad? | 5. | Pues mira esta. ¿Te gusta? |
| f. | Me lo llevo si me lo deja en cinco euros. | 6. | 7 euros los tres pares. |

# GRAMÁTICA

## Se admiten tarjetas

**1. Transforma o completa estas frases usando *se*.**

a. Patricia quiere a Ignacio e Ignacio quiere a Patricia. ..............................................................
b. Está prohibido fijar carteles. ..............................................................
c. Está tan débil que no puede (levantar) de la silla. ..............................................................
d. ¡Largo!, (ir, ustedes) de aquí o llamaré a la policía. ..............................................................
e. Por la mañana Laura (duchar), (vestir) y (maquillar). ..............................................................
f. (Alquilar) locales en esta zona. ..............................................................

## Los relativos

**2. Completa con *cuando, donde* y *como*.**

a. Hay que acabar el encargo a tiempo ..................... sea, me da igual si tenemos que trabajar toda la noche.
b. Podemos quedar ..................... quieras, tengo coche y puedo ir a cualquier lado.
c. Ven ..................... termines el trabajo. Estaré esperándote.
d. Fui ..................... me dijiste, pero ahí no venden corbatas.
e. Hazlo ..................... lo hago yo, y verás qué fácil es.
f. Iremos de compras a Valencia, ..................... encontraremos lo que buscamos.

## ¿Relativos o interrogativos?

**3. Completa con *como/cómo, cuando/cuándo* y *donde/dónde*.**

a. Al no tener su dirección, no sabíamos ..................... enviar el pedido.
b. No entiendo ..................... ha podido romperse la falda. Yo no he notado nada.
c. Así es ..................... recuerdo a mi abuela, con el pelo recogido en un moño.
d. Mañana es ..................... empiezan las rebajas, ¿verdad?
e. Iremos a varias tiendas y compraremos los muebles ..................... nos hagan más descuento.
f. Pregunta al dependiente ..................... cierra la tienda, es muy tarde ya.

## Oraciones de relativo

**4. Transforma las frases usando el verbo en subjuntivo, como en el ejemplo.**

En el bufé puedes comer mucho. Depende de lo que <u>quieres.</u>
*En el bufé puedes comer (todo) <u>lo que quieras</u>.*

a. Quiero un pantalón. Tiene que tener bolsillos laterales.
b. Cómprate un coche. Es mejor si consume diésel.
c. ¿Conoces aficionados a la música? Escribe sus nombres.
d. Necesitamos jugadores para nuestro equipo. Deben estar en forma.
e. Déjame un jersey. Prefiero si es oscuro, si puede ser.
f. - ¿Puedo quedarme aquí sentada un rato? Estoy cansada.
   - Por supuesto, señora. Puede quedarse mucho tiempo, si lo desea.

## ¿Un poco o mucho?

**5. Completa con *mayoría, montón, poco/a/os/as, más, menos*. Además, añade *un/una/el/la* delante cuando sea necesario.**

a. Tu cazadora nueva es chulísima. Me gusta ............................ .

b. Cada día hay ............................ gente que fuma cigarrillos electrónicos. Se están poniendo de moda.

c. ............................ de la gente en mi clase habla dos idiomas, ............................ solo hablan uno.

d. Con todo ese dinero puedes comprarte ............................ de ropa.

e. En las rebajas con paciencia y ............................ de suerte puedes encontrar gangas.

f. Gano ............................ de mil euros al mes. ¿Cómo voy a vivir con tan ............................ dinero?

 **COMPRENSIÓN AUDITIVA**

 **De compras**

**1. Escucha y contesta las preguntas.**

a. La compradora está…
1. … en un mercado callejero.
2. … en unos grandes almacenes.
3. … en una tienda de barrio.

b. El vendedor le dice cómo llegar a…
1. … los ascensores.
2. … la sección de deportes.
3. … la sección de complementos.

c. ¿Cuál es cierta?
1. La compradora elige unos guantes y busca un vendedor para pagar.
2. La compradora está mirando unos guantes y el vendedor se dirige a ella.
3. La compradora no encuentra los guantes y pregunta a un vendedor.

d. ¿Qué pasa con los primeros guantes que se prueba?
1. No son de su talla.
2. Están estropeados.
3. No son del color que quiere.

e. ¿Cuánto descuento tienen los guantes?
1. Tienen un descuento de 15 euros.
2. Cuestan 27 euros.
3. Tienen un descuento de 12 euros.

f. ¿Qué hace al final la compradora?
1. Quiere pagar con tarjeta.
2. No se los lleva.
3. Quiere ahora un gorro.

## Consumidos por el consumo

**1. Lee y contesta las preguntas.**

La ciudad se ha convertido en un gran hipermercado. Cada día unos mil mensajes nos invitan a comprar artículos que no necesitamos. Estamos atrapados por el consumismo que se alimenta de la influencia de la publicidad que se basa en ideas tan falsas como que la felicidad depende de la adquisición de productos. Consumir quiere decir tanto utilizar como destruir. En la sociedad de consumo no solo sentimos cada vez mayor dependencia de nuevos bienes materiales y derrochamos los recursos, sino que el consumo se ha convertido en un elemento de significación social. Se compra para mejorar la autoestima, para ser admirado, envidiado y/o deseado. El peligro es que las necesidades básicas pueden cubrirse, pero las ambiciones o el deseo de ser admirado son insaciables, según alertan los expertos. En la sociedad de consumo encontramos tres fenómenos que juntos producen lo que se ha denominado *adicción al consumo*. Por un lado, la adicción a ir de compras. La gente se habitúa a pasar su tiempo en grandes almacenes o mirando escaparates como fórmula para huir del aburrimiento. Esta tendencia puede estar o no asociada a la compra compulsiva. En segundo lugar, un deseo intenso de adquirir algo que no se precisa y que, una vez adquirido, pierde todo su interés. Esta inclinación se relaciona con situaciones de insatisfacción vital. Por último, y asociada a la compra compulsiva, está la adicción al crédito, que impide controlar el gasto de una forma racional. Las tarjetas y otros instrumentos de crédito que nos invitan a comprar todos nuestros caprichos y producen un sobreendeudamiento facilitan esta adicción. Este fenómeno del sobreendeudamiento preocupa en la Unión Europea como problema socioeconómico, lo que ha dado lugar a un proyecto del Instituto Europeo Interregional de Consumo.

Según los datos del estudio, un 33 % de la población adulta (32 % de los hombres y 34 % de las mujeres) tiene problemas de adicción a la compra, de compra impulsiva y de falta de control del gasto; un 18 % de ellos de forma moderada; un 15 % presenta un nivel importante de adicción y un 3 % llega a niveles que pueden considerarse patológicos. Es decir, se trataría de una adicción en sentido médico estricto. En cuanto a la población joven, el porcentaje de adictos sube hasta el 46 % (53 % de las mujeres y 39 % de los varones) y el 8 % presenta niveles que pueden rozar lo patológico. El estudio rompe con la idea de que la adicción al consumo sea un problema de mujeres con tendencia depresiva y desvela datos tan curiosos que, entre los adultos, son más consumistas aquellos que están menos satisfechos con su apariencia física. Además, desmiente la creencia popular de que las mujeres gastan más en ir de compras que los hombres.

Magazine *El Mundo* / elmundo.es

a. En este texto, ¿qué quiere decirnos el autor?
   1. No consumimos demasiado.
   2. La gente consume cada vez más.
   3. Los consumidores son unos enfermos.

b. ¿Qué idea no expresa el autor?
   1. Sentimos necesidad de demasiadas cosas.
   2. No solo compramos cosas que necesitamos.
   3. Está demostrado que comprar cosas nos hace felices.

c. ¿Cuál es el aviso de los expertos?
   1. Podemos arruinarnos intentando ser objetos de admiración.
   2. Es tan malo comprar por necesidad que por ambición.
   3. La gente insaciable es peligrosa.

d. ¿Cuál no es descrito como un fenómeno de adicción al consumo?
   1. Gastar más de lo que tenemos.
   2. Perder el interés al comprar cosas.
   3. Mirar escaparates como pasatiempo.

e. ¿A qué conclusión (entre otras) llega el estudio de la Unión Europea?
   1. El porcentaje de mujeres adictas a las compras es mayor que el de hombres.
   2. En general la gente gasta más si se cree fea.
   3. Las mujeres con depresión son las que más sufren la adicción a las compras.

## 2. Ahora lee la lista de síntomas de la adicción y relaciona cada síntoma con una de las explicaciones.

Estos son algunos de los signos que pueden encender la luz de alarma sobre la adicción al consumo.

a. A menudo me disgusto por haber gastado el dinero tontamente.
b. Cuando me siento triste o deprimido, suelo comprar para animarme.
c. Cuando veo algo que me gusta, no me lo quito de la cabeza hasta que lo compro.
d. Compro cosas inútiles que después me arrepiento de haber comprado.
e. Se me va el dinero sin darme cuenta.
f. Cuando recibo el extracto de las tarjetas me sorprende ver algunas compras.
g. Compro ropa que después no uso.
h. Frecuentemente me precipito comprando cosas sin haberlo pensado bien.

1. Falta de control en el gasto.
2. Consumo por impulso.
3. Consumo por insatisfacción personal.
4. Obsesión por el consumo.
5. Más interés en la compra en sí que en el objeto comprado.

# VIAJEROS POR EL MUNDO

 **COMUNICACIÓN**

## Viajar por Hispanoamérica
### 1. Responde a esta encuesta.

**Desearíamos conocer tus gustos**

GOBIERNO DE ESPAÑA · MINISTERIO DE INDUSTRIA, ENERGÍA Y TURISMO

¿Te gustaría viajar por Hispanoamérica? Sí/No ¿Por qué? .............................
..............................................................................................................
¿Qué países visitarías en América Central y en América del Sur? Costa Rica, Panamá, México, Colombia, Perú, Argentina, etc. ............................................
¿Qué comidas típicas te gustaría probar? Enchiladas, ceviche, burritos, arepas, frijoles, etc.
¿Qué tipo de bebidas? Jugos de frutas, mate (especie de té argentino), café (*tinto* en Colombia), etc.
¿Qué clase de monumentos te gustaría conocer? Ruinas aztecas, mayas, ciudades coloniales, catedrales, pueblecitos indígenas, museos, playas paradisíacas, glaciares, selvas tropicales, etc.
¿Viajarías por tu cuenta o en un viaje organizado con todo incluido? Explica por qué.
¿Contratarías el viaje por agencia de viajes o lo reservarías tú todo por Internet?
¿Cómo pagarías? Con tarjeta de crédito, en efectivo, a plazos...
¿Cuánto tiempo pasarías allí? Un mes, quince días, una semana...

## Y tú, ¿qué harías?
### 2. Escribe las preguntas usando un verbo en condicional.

a. ¿................................................................? Estupendo, ir en avión es la mejor opción.
b. ¿................................................................? No te aconsejo que viajes allí en esta época del año.
c. ¿................................................................? Yo en tu lugar buscaría un vuelo más barato.
d. ¿................................................................? Si tenemos vacaciones, nos iremos a Nicaragua.
e. ¿................................................................? Podríamos reservar mesa en ese restaurante peruano.
f. ¿................................................................? Cuando tenga hambre, me compraré un bocadillo.

## Un destino perfecto
### 3. Ordena el diálogo.

- [ ] ¿A Mallorca? No sé. Podríamos ir a Marruecos.
- [ ] Sí, de acuerdo.
- [ ] Pues a mí me encantaría ir a las Islas Baleares, son preciosas y no hace tanto calor.
- [ ] ¿Qué te parece si vamos a Mallorca este verano?
- [ ] No es una buena idea ir en verano, hace mucho calor.
- [ ] Bueno, tienes razón, Mallorca es una preciosidad, y el clima es más fresco.
- [ ] Pero recuerda que nuestro próximo destino será Marruecos. ¿De acuerdo?
- [ ] Vale, me alegro que seas razonable. Voy a buscar en Internet el vuelo y el hotel.
- [ ] Pero Marruecos es fascinante. ¡Hay tanto que ver!

Mallorca

Marruecos

## El intruso
**1. Señala cuál es y explica por qué.**

**a.** isla, país, península, playa     **b.** *tour*, excursión, visita, tren     **c.** río, lluvia, mar, sol

**d.** avión, autobús, coche, moto     **e.** mochila, maleta, monedero, bolsa     **f.** *camping*, estación, hotel, pensión

## De turismo
**2. Completa las frases con algunas de las palabras del ejercicio anterior.**

**a.** Como nos gusta mucho la naturaleza, cuando fuimos a Pirineos dormimos en un ................... y no en un ................... o en una ................... . Además, entonces no teníamos mucho dinero.

**b.** A él le gusta viajar con una ................... pequeña si tiene que viajar por negocios durante unos días.

**c.** España es una ................... y Cuba una ................... . Y las dos poseen excelentes ................... con aguas cristalinas.

**d.** Los ................... del norte del país llevaban tanta agua que parecían ................... . Eso se debe a la gran cantidad de ................... que cae.

**e.** José, de joven, tenía una ................... muy rápida. De mayor se compró un ................... que corría mucho.

**f.** La ................... al Museo de Arte Contemporáneo nos encantó. Luego, hicimos un ................... por la ciudad.

 **GRAMÁTICA**

## En condicional
**1. Escribe las frases con el verbo en condicional.**

**a.** Ellos nunca (viajar) ........................ a ese país por su situación política.

**b.** Dijo que (venir, él) ........................ a visitarnos si no era muy tarde.

**c.** Nos orientamos muy mal, no (saber) ........................ volver a este sitio sin ayuda.

**d.** - ¿Te (gustar) ........................ ponerte este poncho para abrigarte?
    - No, porque es un poco pequeño y no me (poder) ........................ mover.

**e.** Te lo aseguro, tú no (querer) ........................ encontrarte en una situación tan difícil.

**f.** - ¿Qué (hacer, tú) ........................ en ese país sin hablar el idioma?
    - Pues (hablar) ........................ en inglés e (ir, yo) ........................ a una escuela para aprenderlo.

## Oraciones condicionales
**2. Relaciona las columnas.**

**a.** Si tengo suerte, el año que viene     **1.** tendré que ir al médico.
**b.** Si mis compañeros de clase quieren,     **2.** comprenderán mejor la teoría.
**c.** Si hacen todos los ejercicios del libro,     **3.** llámame y nos vemos un rato.
**d.** Si gastamos mucho dinero,     **4.** le haremos un regalo al profesor.
**e.** Si tienes tiempo libre,     **5.** no podremos tomar un taxi.
**f.** Si me pongo enfermo,     **6.** me iré a vivir solo.

## Con presente, imperativo o futuro
**3. Termina estas mismas frases condicionales como tú quieras.**

**a.** Si tengo suerte, el año que viene ...............................................................................................................

**b.** Si mis compañeros de clase quieren, .............................................................................................................

**c.** Si hacen todos los ejercicios del libro, ..........................................................................................................

**d.** Si gastamos mucho dinero, ...........................................................................................................................

**e.** Si tienes tiempo libre, ...................................................................................................................................

**f.** Si me pongo enfermo, ...................................................................................................................................

# Cuando quieras
## 4. Completa las frases con el verbo en presente de subjuntivo.

a. - ¿Sabes si el vuelo lleva retraso?
  - Cuando (llamar, tú) .................................. por teléfono al aeropuerto, te enterarás.
b. Cuando sus amigos (vivir) .................................. allí una temporada, no querrán volver aquí.
c. Cuando (vacunarse, ellos) .................................., podrán viajar a ese país asiático.
d. Cuando (estar, yo) .................................. en el hotel, te mandaré un correo electrónico.
e. - ¿Ese país es peligroso?
  - No, pero cuando (llegar, vosotros) .................................., deberéis tomar algunas precauciones.
f. Cuando (comer, usted) .................................. fuera, tenga cuidado con la comida.

# ¿Pretérito perfecto simple o pretérito imperfecto?
## 5. Escribe el verbo en el tiempo del pasado adecuado.

Hace un año más o menos mi familia y yo (hacer) ................. un viaje fabuloso por Extremadura para celebrar las bodas de plata de mis padres. Les (preparar, nosotros) ................. un viaje sorpresa. Ellos no (saber) ................. nada. (Viajar, nosotros) ................. en dos coches grandes. También (venir) ................. mis abuelos. En total, (ser) ................. diez. (Salir, nosotros) ................. de casa un viernes a mediodía y (regresar) ................. el domingo por la noche. (Ser) ................. el mes de julio y (hacer) ................. bastante calor, pero no nos (importar) ................. porque los coches (tener) ................. aire acondicionado. Todo lo que (visitar, nosotros) ................. nos pareció precioso: las ciudades de Mérida y Badajoz, los museos, el campo y por supuesto (disfrutar) ................. muchísimo saboreando los deliciosos platos típicos de allí. También (comprar) ................. recuerdos de los lugares que visitamos. Mis padres nos lo (agradecer) ................. un montón y todos lo (pasar) ................. muy bien.

# Comparativos y superlativos irregulares
## 6.a. Completa el cuadro.

| Grado positivo | Comparativo | Superlativo |
|---|---|---|
| a. bueno | ........................ | ........................ |
| b. malo | ........................ | ........................ |
| c. grande | ........................ | ........................ |
| d. pequeño | ........................ | ........................ |

## b. Ahora completa las frases con uno de estos comparativos o superlativos.

a. Mi teléfono móvil es ........................ que el tuyo porque tiene WhatsApp.
b. Teresa tiene tres hermanos, uno de 12, otro de 15, ella tiene 18, y Raúl de 22, que es el ........................ de todos.
c. Sus compañeros son casi todos estupendos, menos el chico nuevo que es el ........................ con diferencia.
d. Carlos tiene 30, es ........................ que Guillermo, que tiene 34, aunque parecen de la misma edad.
e. De todos los quesos que he probado, este es el ........................ con diferencia. ¡Qué sabor!
f. Esta tele de plasma es ........................ que la tuya. Tiene más pulgadas, ¿no lo ves?

 # COMPRENSIÓN AUDITIVA

6
## ¿En qué hotel?
### 1. Escucha los diálogos y contesta a las preguntas.

a. ¿De qué tratan los dos diálogos?
  1. Comentarios sobre hoteles.
  2. Críticas negativas sobre hoteles.
b. Marca los temas sobre los que hablan Jorge y Lola.
  ☐ Servicios del hotel (bar-restaurante, gimnasio, piscina, *parking*, etc.)
  ☐ Relación calidad-precio       ☐ Ubicación
  ☐ Trato con el cliente       ☐ Limpieza ☐ Otros

**c.** ¿En qué diálogo el hotel no tiene nada que ver con el del folleto? ☐ ☐
**d.** ¿En qué diálogo se dicen cosas malas y buenas del hotel? ☐ ☐
**e.** ¿En qué diálogo las personas volverían al hotel a pesar de los inconvenientes? ☐ ☐
**f.** ¿Qué es una estafa? **1.** ☐ un engaño **2.** ☐ una recomendación
**g.** ¿Quién se queja de que el hotel era una estafa, Jorge o Lola?
**h.** ¿De qué dos cosas del hotel se queja Jorge?
**i.** ¿Qué tiene de positivo el hotel de Lola? ¿Y de malo?

## 📖 COMPRENSIÓN LECTORA

¿Qué conoces de la República Dominicana? ¿Sabes dónde está situada? ¿Por qué crees que es famosa: por su gastronomía, por sus playas, por sus monumentos, por su folclore, etc.?

### La República Dominicana
**1. Lee el texto.**

# La República Dominicana lo tiene todo, si nos visita, no se arrepentirá

Uno de los rincones más importantes del Caribe para viajar es sin duda la República Dominicana, un país que ocupa más de dos tercios de la isla de La Española, en el archipiélago de las Antillas Mayores, dejando el resto de la isla para Haití. La República Dominicana también destaca por su extensión y población y es, con sus 48 000 kilómetros cuadrados de superficie y 10 millones de habitantes, el segundo país más grande del territorio caribeño, detrás de Cuba. Si nos visita, podrá experimentar la historia viva que comparten el país cubano y los dominicanos, ya que fue aquí donde se produjo el primer asentamiento europeo en América, tras el descubrimiento de Cristóbal Colón en 1492. Fue en Santo Domingo, lo que hoy es la capital del país y en aquel entonces se convirtió en la primera capital de España en el Nuevo Mundo. Entre los vestigios de su pasado como colonia española quedan el idioma y los apellidos de la gente. También hay que mencionar monumentos destacables, como la primera catedral y el primer castillo del continente americano, declarados Patrimonio de la Humanidad por la Unesco, situados en la Ciudad Colonial.

Cuando venga a la República Dominicana, se encontrará con un lugar paradisíaco no solo por las playas de ensueño que lo rodean, sino también por la impresionante vegetación y cultura de las gentes que en él habitan.

La República Dominicana complacerá las expectativas de aquellos que buscan *resorts* de lujo donde descansar y pasárselo bien lejos del estrés de las grandes ciudades, y las de los más atrevidos que buscan practicar deportes de aventura en sus selvas o disciplinas acuáticas. ¿Por qué no viene a conocernos? Le mostraríamos sitios difíciles de olvidar.

Por último, si elige venir de vacaciones a nuestra isla seguro que visita la zona costera más famosa, que es Punta Cana, lugar en el que las playas se construyen de blanca y fina arena, remojadas por un agua totalmente transparente y con tonos turquesa. Los jardines tropicales, repletos de cocoteros, que rodean los límites costeros, acaban de conformar una estampa que bien se merece el sobrenombre de *Donde todo empezó*.

Ah, ¿y hemos mencionado que República Dominicana es ideal para familias, tiene el clima perfecto y es asequible?

*Rumbo.es*

## 2. Relaciona las palabras con su definición.

a. Folclore
b. Arrepentirse
c. Archipiélago
d. Complacer
e. Atrevido
f. Turquesa
g. Asequible

1. Color azul verde claro.
2. Que puede conseguirse o alcanzarse.
3. Costumbres, bailes, leyendas, música, etc., de un pueblo.
4. Conjunto de islas.
5. Valiente, arriesgado.
6. Sentir, lamentar.
7. Satisfacer los deseos o gustos de una persona.

## 3. Contesta a las preguntas.

a. ¿Con qué otro país comparte isla la República Dominicana? ¿Qué país es más grande?

b. Dentro del Caribe, ¿es la República Dominicana un país grande o pequeño? ¿Qué población tiene?

c. ¿Qué podrá experimentar el viajero si visita la República Dominicana y por qué?

d. ¿Cuál es la capital del país y por qué fue importante en el pasado?

e. ¿Qué monumentos coloniales destacables quedan en el país?

f. Según el texto, ¿con qué se encontrará el viajero cuando venga a conocer la República Dominicana?

g. ¿Por qué es un destino que complacerá a todo el mundo?

h. ¿Cómo son las playas en Punta Cana?

i. ¿Por qué crees que a los jardines tropicales que rodean las playas se les dio el sobrenombre de *Donde todo empezó*?

j. ¿Hay en el folleto alguna oración condicional? ¿Hay algún ejemplo de *cuando* + subjuntivo? Subráyalos.

k. Resume el folleto en 50 palabras mencionando su ubicación, historia, atractivos turísticos y por qué es un destino ideal para todo el mundo.

# AUTOEVALUACIÓN

**Portfolio: evalúa tus conocimientos**

Después de las unidades 5 y 6

Fecha: ...........................................

##  COMUNICACIÓN

Soy capaz de dar y pedir informaciones
Escribe las expresiones: _____

Soy capaz de comprar en un mercado
Escribe las expresiones: _____

Soy capaz de expresar disgusto
Escribe las expresiones: _____

Soy capaz de dar consejos y comparar
Escribe las expresiones: _____

Soy capaz de preguntar por preferencias
Escribe las expresiones: _____

Soy capaz de contar experiencias y valorar
Escribe las expresiones: _____

##  GRAMÁTICA

Puedo conocer los valores de *se*
Escribe algunos ejemplos: _____

Puedo usar los adverbios relativos y los pronombres interrogativos y reconocer las oraciones de relativo con subjuntivo
Escribe algunos ejemplos: _____

Puedo usar los cuantificadores *poco, mucho, un montón, cada...*
Escribe algunos ejemplos: _____

Puedo conjugar los verbos en condicional simple y usar oraciones condicionales reales en presente y futuro
Escribe algunos ejemplos: _____

Puedo hablar de acciones futuras con *cuando* + subjuntivo
Escribe algunos ejemplos: _____

Puedo usar comparativos y superlativos
Escribe algunos ejemplos: _____

##  LÉXICO

Conozco las palabras útiles para comprar
Escribe las palabras que recuerdas: _____

Conozco las palabras relacionadas con los viajes
Escribe las palabras que recuerdas: _____

## COMUNICACIÓN

## ¿Para qué lo haces?
### 1. Escribe las preguntas correspondientes.

a. - ..................................................................................................................................
  - Para que te tranquilices un poco, que estás muy nervioso.
b. - ..................................................................................................................................
  - Para que no se preocupen si llegamos tarde.
c. - ..................................................................................................................................
  - Para ti, solo para ti.
d. - ..................................................................................................................................
  - Este para tus padres y estos tres para los míos.
e. - ..................................................................................................................................
  - Para que no se quede en casa todo el día viendo la tele.
f. - ..................................................................................................................................
  - Para mejorar mi técnica.

## Chismes
### 2. Relaciona frases con situaciones.

a. Pues él no dice lo mismo de ti. Siempre te está poniendo por las nubes.
b. ¿Que no se llevan bien? No es eso lo que se dice por ahí.
c. Me han contado que Juani ha dicho que tú le has preguntado si yo quería salir con ella.
d. Digan lo que digan, me da igual.
e. Se dice que el año que viene nos van a subir a todos el sueldo.
f. Dicen que, si no bebes suficiente agua en verano, te puedes poner enfermo.
g. Sofía dice que ella no ha sido, y si lo dice es que es verdad.
h. Dice que no volverá hasta que no le pidamos todos perdón.

1. Alguien se ha enfadado mucho.
2. Alguien insinúa que dos personas se llevan bien.
3. Alguien habla bien de ti.
4. Alguien cotillea sobre tus asuntos sentimentales.
5. Alguien está enfadado con lo que dicen de él.
6. Rumores.
7. Cosas oídas por ahí.
8. Habla de alguien en quien confía.

# LÉXICO

## Términos informáticos en inglés

**1. Marca en qué casos se usa el término inglés, en cuáles es preferible el español y en cuáles se usan los dos.**

a. *On-line* – en línea
b. *E-mail* – el correo electrónico
c. *Software* – el programa
d. *Web* – la red

e. *Hard disk drive* – el disco duro
f. *Download* – descargar
g. *Mouse* – el ratón
h. *Password* – la contraseña

## ¿Qué es?

**2. Relaciona estos términos informáticos con su definición.**

a. Aplicación
b. Subir
c. Puntero
d. Servidor
e. Sitio
f. Web
g. Red social

1. Cargar datos o documentos en la red.
2. Flechita del ratón que se mueve por la pantalla.
3. Plataforma que se usa para relacionar a personas.
4. Página web.
5. Red.
6. Empresa que proporciona conexión a Internet.
7. Función de un programa que nos permite hacer algo.

## Titulares

**3. Completa las frases con estas palabras: *multa, huelga, inundación, conflicto, protesta, robo, acusado, refugiado, premio, delito.***

a. Treinta mil personas se han ido al país vecino por los ……………............…… militares en la región. Las autoridades han creado campamentos para acoger a los ……………..............…… .
b. El próximo día 15 habrá una ……………….............…… de trenes en todo el país. Solo funcionarán los servicios mínimos.
c. Ha habido numerosas ……………..............…… en el barrio de Chilindrón a causa del cierre del Centro Municipal de Deportes.
d. Haruki Murakami, célebre escritor japonés, ha sido galardonado con el ……………..............…… Príncipe de Asturias de las Letras.
e. La región de Valencia ha sufrido ……………..............…… a causa de las fuertes lluvias de los últimos días.
f. El jefe de los vigilantes del Museo Mallo ha sido ……………..............…… por el ……………..............…… de tres cuadros.
g. Pintar en una pared no es un ……………..............……, pero si lo haces te pueden poner una ……………..............…… .

# GRAMÁTICA

## ¿Pretérito perfecto simple o pluscuamperfecto?

**1. Completa con uno de estos tiempos.**

a. Cuando lo (ver, nosotros) …………..............……, todavía no se (cortar) ………….............… el pelo.
b. ¿No (decir) …………..............… anoche que no te gustaban las fresas?
c. Este es el chico que (conocer) …………..............… el domingo pasado en casa de los Martínez.
d. Cuando (empezar) …………..............… la película, me di cuenta de que ya la (ver) …………..............… .
e. Los viajes en grupo siempre me (parecer) …………..............… una pérdida de tiempo hasta que el verano pasado (ir) …………..............… a China y me lo (pasar) …………..............… muy bien.
f. Gracias por invitarme. Aquella noche me lo (pasar) …………..............… fenomenal. ¡En mi vida (divertirse) …………..............… tanto!

# El estilo directo

## 2. Escribe lo que dijeron estas personas en estilo directo.

Elena me contó que su madre se había vuelto a casar.
Elena: *«Mi madre se ha vuelto a casar».*

a. Mis padres me preguntaron si tenía planes para las vacaciones.
   Mis padres: «¿..................................................................................?».
b. El profesor dice que los exámenes han salido muy mal porque hemos estudiado poco.
   El profesor: «..................................................................................».
c. Juan Carlos estaba muy enfadado con Silvia y dijo que no quería volver a verla.
   Juan Carlos: «..................................................................................».
d. La señora Márquez llamó ayer para cancelar su cita y preguntó si podíamos pasársela al jueves.
   Sra. Márquez: «..................................................................................».
e. Pero, Lucio, ¿no me dijiste ayer que vendrías a mi casa a las cinco y que me ayudarías?
   Lucio: «..................................................................................».
f. Le pregunté a Inés si le gustaba la música mexicana y me dijo que le encantaba.
   Yo: «¿..................................................................................?».
   Inés: «..................................................................................».

# Repítelo

## 3. Escribe estas frases en estilo indirecto en pasado.

No me gusta bañarme en el mar cuando hay olas grandes.
*Él dijo que no le gustaba bañarse en el mar cuando había olas grandes.*

a. No había estado nunca en Roma, pero tenía muchas ganas de ir.
   ......................................................................................................................
b. Llamé, no me contestó, volví a llamar, hablé con su marido y me dijo que no estaba.
   ......................................................................................................................
c. Mi profesor de español siempre se enfada cuando decimos *México* con *x*.
   ......................................................................................................................
d. Sí, iré con Pablo y hablaremos con ella.
   ......................................................................................................................
e. Voy a acercarme a la tienda para ver si tienen uno pequeño.
   ......................................................................................................................
f. Llegó antes de ayer, y ayer ya nos dijo que se marchaba mañana.

# ¿Para o para que?

## 4. Pon el verbo en infinitivo o en subjuntivo y añade *que* si es necesario.

a. Te lo digo despacio y clarito para (entenderlo) ............................... .
b. Para (tocar) ............................... un instrumento no hace falta
   estudiar música.
c. He traído unas películas para (verlas) ...............................
   esta tarde y no aburrirme.
d. Te he traído unas películas para (verlas) ...............................
   con tu hija.
e. Dale algún juguete al niño para (entretenerse) ............................... .
f. He venido para (decir, a ti) ............................... que no pienso
   abandonarte.
g. Estoy aquí para (ver, a ti) ............................... y para (decir, a mí)
   ............................... la verdad.

**7** **Abuelo y nieta**
Micaela ha ido a visitar a su abuelo.

**1. Escribe las palabras relativas a las nuevas tecnologías que oigas en el diálogo.**

...............................................................................
...............................................................................

**2. Contesta las preguntas.**

a. ¿Qué tiene Micaela entre las manos mientras habla?
...............................................................................

b. ¿Qué es un *yahoo* y de dónde viene la palabra?
...............................................................................

c. ¿Por qué la nieta no acepta el regalo del abuelo?
...............................................................................

d. ¿Cómo definirías la relación de Micaela y su abuelo?
(1) Se llevan bien, pero no se entienden. (2) No se llevan bien a causa de la diferencia de generaciones.
(3) Se llevan muy bien y se conocen el uno al otro. (4) Intentan ser amables el uno con el otro, pero no se entienden.

e. ¿Cómo describirías al abuelo?
(1) Es un hombre arrogante que se cree superior. (2) Es un amargado que odia las máquinas.
(3) Es un típico abuelo que mima a su nieta. (4) Es un hombre inteligente y cariñoso.

f. ¿Cuál es la relación del abuelo con los ordenadores?
(1) Los usa, pero no les da mucha importancia. (2) Los odia y no los entiende. (3) Debido a su edad, es incapaz de comprender las ventajas de la revolución digital. (4) No tenemos información para contestar.

 **COMPRENSIÓN LECTORA**

## Revistas para todos
**1. Lee el texto y escribe la palabra para cada definición.**

Hay tal variedad de revistas en el mercado que uno se pregunta algunas veces quién las comprará. Hay revistas de historia, de política, de moda, de coches, de deportes, es decir, temas que interesan a mucha gente. Pero muchas revistas se dedican a temas tan especializados que parece imposible que su número de lectores sea muy grande. Hay revistas de viajes o de geografía, pero también dedicadas exclusivamente a islas, a viajes en tren, a viajes a desiertos o a caminos por Galicia. Hay revistas de historia, pero también revistas dedicadas exclusivamente a la Segunda Guerra Mundial; revistas de moda, pero también dedicadas exclusivamente a los bañadores. Hay revistas dedicadas al clarinete o al contrabajo. ¿Cuántos contrabajistas en el mundo comprarán revistas sobre el contrabajo? Hay revistas dedicadas a los acuarios, a las antenas, a las ranas, a las medusas, a los neumáticos, a la restauración de sillones, al mundo del taxi, a la profesión de socorrista, al ganchillo, a las comidas hechas al horno, a los mangas para chicas, al dibujo de mangas para chicas. No cabe duda de que hay personas para las que el ganchillo o las medusas son mundos inagotables y fascinantes. No sabemos si hay compradores para todas las revistas, pero sin duda hay una revista para cualquier comprador.

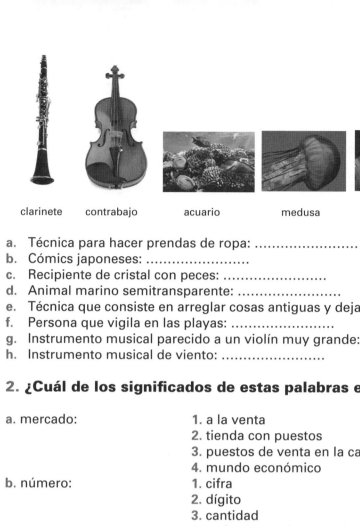

| clarinete | contrabajo | acuario | medusa | restauración | socorrista | ganchillo | manga |

a. Técnica para hacer prendas de ropa: ........................

b. Cómics japoneses: ........................

c. Recipiente de cristal con peces: ........................

d. Animal marino semitransparente: ........................

e. Técnica que consiste en arreglar cosas antiguas y dejarlas como estaban: ........................

f. Persona que vigila en las playas: ........................

g. Instrumento musical parecido a un violín muy grande: ........................

h. Instrumento musical de viento: ........................

## 2. ¿Cuál de los significados de estas palabras es el que tiene en el texto?

a. mercado:
1. a la venta
2. tienda con puestos
3. puestos de venta en la calle
4. mundo económico

b. número:
1. cifra
2. dígito
3. cantidad
4. cada nuevo ejemplar de una revista

c. mundo (inagotable):
1. planeta Tierra
2. naturaleza
3. universo
4. área o ámbito

## 3. Resume en una frase la idea principal del texto.

..................................................................................................................................................................

## 4. ¿Crees que existen todas estas revistas o que el autor está exagerando?

..................................................................................................................................................................

..................................................................................................................................................................

..................................................................................................................................................................

## 5. ¿Cómo interpretas la frase «a los mangas para chicas, al dibujo de mangas para chicas»?

(a) Se refiere a revistas dedicadas a los mangas para chicas.

(b) Se refiere a revistas dedicadas a los mangas, que son siempre para chicas.

(c) Se refiere a dos tipos de revistas, las dedicadas a los mangas para chicas y las dedicadas al dibujo de mangas para chicas.

(d) La frase tiene una repetición innecesaria.

## 6. ¿Cuáles de los temas de revistas que se mencionan te parecen interesantes y cuáles no?

..................................................................................................................................................................

..................................................................................................................................................................

..................................................................................................................................................................

# AL AIRE LIBRE

## 💬 COMUNICACIÓN

### Expresiones adecuadas

**1. Completa las frases con estas expresiones.**

| | | |
|---|---|---|
| se nos ocurrió | por casualidad | lo que |
| prométeme que | es decir | se ve que |

a. Las tortugas vienen a esta playa a desovar, ................................., a poner huevos.
b. Pasamos mucho frío en la montaña, hasta que ................................. ir a la zona de sol.
c. En esta foto estáis todos con bufanda y gorro. ................................. hacía frío.
d. Vas a estar fuera cuatro meses. ................................. me llamarás a menudo.
e. Parece que puede llover. ¿Hemos traído un paraguas, ................................. ?
f. No te imaginas ................................. me gusta salir al campo. No hay cosa que más me guste.

### ¿Qué haces en tu tiempo libre?

**2. Escribe las preguntas que faltan en el diálogo.**

- ¿Te importa contestar unas preguntas para una encuesta? Solo es un minuto.
- Bueno, si no es mucho tiempo, vale.
- Gracias. ¿.............................................................................?
- Mis actividades de tiempo libre preferidas son la lectura y los paseos por el campo.
- ¿.............................................................................?
- Leo novelas históricas, sobre todo.
- ¿.............................................................................?
- Voy a pasear al campo los sábados solamente. Son los únicos días que tengo libres.
- ¿.............................................................................?
- ¿Además de pasear? Pues no hago muchas cosas. A ver, a veces hago fotos de paisajes que me gustan, o me tumbo a tomar el sol. Nada más. Oye, ¿.............................................................................?
- Bueno, no trabajo para ningún periódico. Trabajo para una revista de consumidores.
- ¿............................................., *Ciudadanía* o *Consumo responsable*?
- *Ciudadanía*. ¿La conoces?
- Sí, la leo *on-line* muy a menudo.

# ¡Qué bonito!

**3. Reacciona ante cada frase con una exclamación, en relación con las palabras subrayadas.**

En este sitio hay <u>muchísima gente</u>. *¡Cuánta gente hay en este sitio!*

a. El <u>lugar</u> más <u>lluvioso</u> del mundo es Lloró, en Colombia. Su precipitación anual promedio es de 13 300 mm.
b. El <u>río</u> Amazonas tiene <u>tanta agua</u> que su agua dulce se mete 180 km dentro del mar.
c. El Salto Ángel, en el parque natural de Canaima, en Venezuela, es el <u>salto</u> de agua más <u>alto</u> del mundo, con 979 metros en total.
d. El Perito Moreno es un <u>glaciar espectacular</u>, con sus frecuentes derrumbamientos de masas de hielo de más de 60 metros de altura.
e. La <u>Avenida</u> 9 de julio en Buenos Aires tiene 140 metros de <u>ancho</u>.
f. En Tierra de Fuego vive la mayor colonia de <u>pingüinos</u>: <u>alrededor de un millón</u>.

Avenida 9 de Julio

## Lo que pasa es que no lo entiendes

**4. Cambia las frases para dar más énfasis, como en el ejemplo.**

Me gusta tocar la guitarra. *<u>Lo que</u> (más) me gusta <u>es</u> tocar la guitarra.*

a. Tu hermano tiene la gripe, no un catarro.
b. Quiero borrar un archivo, no copiarlo.
c. Has comprado berenjenas. Quería una lechuga.
d. Tienen un burro, no un caballo.
e. Las fiestas tienen algo malo: que hay que limpiar después.
f. Es peligroso escalar esta montaña por el mal tiempo.

El río Amazonas

El Salto Ángel

## 📁 LÉXICO

El Perito Moreno

## Paisaje y naturaleza

**1. Relaciona las fotos con las palabras.**

a. desfiladero    b. bosque    c. lago    d. campamento    e. arroyo    f. cumbre    g. valle

1.
2.
3.
4.
5.
6.
7.

# Animales

**2. Observa estos animales y contesta las preguntas.**

| |
|---|
| burro |
| caballo |
| cabra |
| camello |
| cerdo |
| ciervo |
| conejo |
| cordero |
| jabalí |
| jaguar |
| lince |
| llama |
| lobo |
| mono |
| oso |
| pato |
| serpiente |
| vaca |

a.        b.        c.        d.        e.

f.        g.        h.        i.        j.

k.        l.        m.        n.        ñ.        o.

a. Escribe el nombre del animal debajo de cada foto.
b. ¿Cuáles son animales de granja?
c. ¿Cuáles pueden encontrarse en América?
d. ¿Alguno se reproduce poniendo huevos?
e. ¿De cuáles se obtienen los productos siguientes:
   la carne, la leche, las plumas, el cuero?

p.        q.

 **GRAMÁTICA**

## ¡Qué niña tan guapa!

**1. Completa las frases exclamativas con una de estas palabras.**

| |
|---|
| • tan (2) |
| • cómo |
| • cuánto/a (2) |
| • qué (3) |

a. ¡Qué montaña ..................... alta!
b. ¡..................... ricas están estas fresas!
c. ¡..................... nos divertimos en las excursiones, muchísimo!
d. ¡..................... gente ha venido! Está el cine lleno.
e. ¡..................... examen ..................... difícil nos ha puesto la profesora!
f. ¡Mira ..................... corre ese conejo! ¡.....................divertido es!

## ¿Qué o cuál?

**2. Completa las oraciones con *qué, cuál* o *que* (sin tilde).**

a. ¿Has leído el libro ................... te presté?
b. ¿De ................... está hecha esta tela?
c. ¿Con ................... de tus primos pasas más tiempo?
d. ¿................... es para ti el mejor país para vivir?

e. ¿................... país te gustaría visitar este verano?
f. Este es el amigo con el ................... siempre viajo.
g. Dime lo ................... quieres para tu cumpleaños.
h. No sé ................... comprarle a mi novia.

## Aunque o porque

**3. Relaciona principios y finales de frases usando *aunque* o *porque*.**

a. Este parque es famoso por las tortugas
b. Esta tierra es muy fértil
c. No llegamos hasta la cumbre
d. Estamos a gusto viviendo en el campo
e. En la granja no tenemos vacaciones

1. ... a veces echamos de menos la ciudad.
2. ... la atraviesan varios ríos.
3. ... también hay muchas aves.
4. ... estábamos cansados.
5. ... a los animales hay que cuidarlos todos los días.

## Verás lo bueno que es

**4. Cambia las frases para expresar lo mismo usando el artículo *lo*.**

Es fantástico que tu novio sea tan simpático. *Es fantástico lo simpático que es tu novio.*

a. Te has perdido la mejor parte de la película.
b. No te imaginas cuánto llovió la noche que dormimos en la selva.
c. La cosa que me da más miedo en la selva son las serpientes.
d. Es increíble que la tortuga sea tan ágil en el agua.
e. Eso que me dices no puede ser cierto.
f. La parte buena del clima tropical es que no necesitas abrigo.

## 🔊 COMPRENSIÓN AUDITIVA

### 8 ⊚ Las ciudades inteligentes

**1. Escucha esta entrevista sobre las ciudades inteligentes y elige la opción correcta.**

La red española de ciudades inteligentes tiene como objetivo aprovechar los avances tecnológicos para crear entornos más sostenibles y eficientes y mejorar la calidad de vida de sus habitantes y el medio ambiente. Su presidente es alcalde de Santander, quien explica en esta entrevista las ventajas y los desafíos de las ciudades inteligentes.

a. ¿Cuáles de las siguientes ventajas no menciona el alcalde de Santander?
1. Ahorro en electricidad.
2. Comodidad para los ciudadanos.
3. Lucha contra la delincuencia.

Universidad de Cantabria

b. ¿A qué se refiere el número 16?
1. Son las ciudades que pertenecen a la red de ciudades inteligentes.
2. Son los años que lleva funcionando la red de ciudades inteligentes.
3. Son las ciudades que fundaron la red de ciudades inteligentes.

c. ¿Qué clases de apoyos hacen falta para una gestión inteligente de una ciudad?
1. El político, científico y empresarial.
2. El de varias universidades científicas y tecnológicas.
3. El de las autoridades sobre todo, pero también el del sector privado.

d. Una aplicación concreta de la tecnología inteligente es la siguiente:
1. Se puede saber inmediatamente dónde están todos los aparcamientos de la ciudad.
2. Se puede saber al pasar por cada calle si hay en ella alguna plaza de aparcamiento libre.
3. Quedan libres muchas más plazas de aparcamiento.

e. ¿Por qué se ahorra en la iluminación de las calles?
1. Porque las farolas solo se encienden cuando pasa una persona por delante.
2. Porque se usan bombillas que consumen menos electricidad.
3. Porque cada farola ilumina ahora una zona más grande.

## Un paraíso en la Patagonia chilena
**1. Lee el texto y contesta a las preguntas.**

### Futaleufú

Desde hace años se ha convertido en uno de los destinos más apetecibles para los mochileros nacionales y extranjeros que se aventuran a la Carretera Austral. El porqué de su atracción es sobre todo el milagro producido por su principal río: el Futaleufú o Río Grande. La zona se ha transformado en uno de los puntos más importantes para la práctica del *rafting* y del kayak a nivel mundial. Turistas de todas partes viajan directamente para lanzarse por el río. Pero eso no es todo, Futaleufú le hace honor a su lema: Un paisaje pintado por Dios. Los atractivos de toda esta zona incluyen lagos, ríos, cascadas y caminos secundarios que se abren entre imponentes acantilados y pequeñísimos valles. Para comenzar hay que hablar del principal referente: el Futaleufú. Considerado como el mejor descenso de aguas blancas del mundo, sus riberas están cubiertas de bosques vírgenes.
El río Espolón nace de un hermoso lago con el mismo nombre, ubicado a solamente seis kilómetros del poblado. De un extraordinario color azulado y con una tranquilidad paradisíaca, el paisaje es una postal de las que uno imagina cuando piensa en lo mejor del sur chileno. En cuanto al clima, es excepcional. Debido a su ubicación detrás de los Andes, Futaleufú cuenta con un microclima maravilloso que en verano eleva las temperaturas a más de lo acostumbrado en la región y provoca la maduración de los árboles frutales que abundan en las calles del pueblo. Los inviernos crudos con nevadas y fríos constantes son lo contrario de lo que se vive en la temporada de verano. Con esa soledad, con la nieve en las calles y los leones merodeando, podrían explicarse las hermosas festividades y el buen ambiente veraniego.

Adaptado de Jorge López Orozco
*www.chile.com/secciones*

a. ¿Desde cuándo Futaleufú es un destino turístico importante?
b. ¿Qué es Futaleufú y qué significa?
c. ¿Qué tipo de accidentes geográficos atraen a los turistas?
d. ¿Qué deportes pueden practicarse ahí?
e. ¿Cómo es el clima ahí en invierno?
f. ¿Cómo se llama el lago que está cerca del pueblo?
g. ¿Cuándo hay buen ambiente en Futaleufú?

# AUTOEVALUACIÓN

**Portfolio: evalúa tus conocimientos**

Después de las unidades 7 y 8

Fecha: .............................................

##  COMUNICACIÓN

Soy capaz de expresar la finalidad
Escribe las expresiones: _____

Soy capaz de contar algo que he oído o que me han contado
Escribe las expresiones: _____

Soy capaz de expresar hipótesis sobre la veracidad de una información
Escribe las expresiones: _____

Soy capaz de hablar de ventajas e inconvenientes
Escribe las expresiones: _____

Soy capaz de contar experiencias y comparar
Escribe las expresiones: _____

Soy capaz de solicitar información
Escribe las expresiones: _____

##  GRAMÁTICA

Puedo conjugar los verbos en pretérito pluscuamperfecto y usarlos
Escribe algunos ejemplos: _____

Puedo usar oraciones finales con *para* + infinitivo y *para que* + subjuntivo
Escribe algunos ejemplos: _____

Puedo utilizar el estilo indirecto en presente y en pasado
Escribe algunos ejemplos: _____

Puedo formar oraciones exclamativas con sustantivo + *tan/más*
Escribe algunos ejemplos: _____

Puedo usar los pronombres interrogativos *qué* o *cuál*
Escribe algunos ejemplos: _____

Puedo usar el artículo neutro *lo*
Escribe algunos ejemplos: _____

##  LÉXICO

Conozco las palabras relacionadas con la naturaleza
Escribe las palabras que recuerdas: _____

Conozco los nombres de los animales
Escribe las palabras que recuerdas: _____

# BIENESTAR Y OCIO

## COMUNICACIÓN

### ¿Tenéis planes?
**1. Relaciona preguntas y respuestas.**

**a.** ¿Qué os apetecería hacer esta tarde?
**b.** Nos vamos al cine, ¿os venís?
**c.** ¿Y si vamos a patinar sobre hielo?
**d.** ¿Tenéis planes para el sábado?
**e.** ¿Qué prefieres, teatro o *ballet*?
**f.** ¿Reserváis vosotros?

**1.** Uf, no sé qué decirte.
**2.** ¡Hala, qué idea! Yo no sé.
**3.** Sí, sí, no te preocupes.
**4.** No sé. Algo tranquilo.
**5.** Vale.
**6.** De momento, no.

### Lo pasamos muy bien
**2. Rellena con las palabras o expresiones adecuadas.**

**a.** El sábado pasado ................................. . Fuimos con unos amigos a una casa rural preciosa.
    **1.** lo pasamos    **2.** lo pasamos muy bien    **3.** lo pasamos muy mal    **4.** tuvimos mucho tiempo

**b.** ¿Qué tal ................................. en Asturias? Yo me lo pasé muy bien a pesar de la lluvia.
    **1.** pasasteis    **2.** disfrutasteis    **3.** lo pasasteis    **4.** el tiempo

**c.** Estuvimos en el campo con toda la familia y ................................................ . ¡Qué día más bueno!
    **1.** tuvimos buen tiempo    **2.** pasamos muy bien    **3.** lo pasamos muy mal    **4.** fue muy bien

**d.** Fuimos con Abel y María a jugar a los bolos y lo pasamos ......................... Fue una tarde perfecta.
    **1.** genial    **2.** total    **3.** animal    **4.** grande

**e.** ......................... ir juntos, hacer turismo y luego ir a la playa.
    **1.** Y si vamos    **2.** Podríamos    **3.** Qué te parece si    **4.** Quieres

**f.** ¿Y si vamos a Sevilla para la feria? ¿......................... busque yo un hotel?
    **1.** Me ayudáis a    **2.** Voy a    **3.** Quiero que    **4.** Queréis que

## LÉXICO

### Ganar y perder
**1. Relaciona cada palabra o expresión con su contrario.**

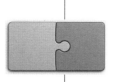

| | | |
|---|---|---|
| **a.** Pasárselo genial | **1.** Ganador |
| **b.** Ser aficionado a | **2.** Fracaso |
| **c.** Éxito | **3.** No estar interesado en |
| **d.** Tener tiempo libre | **4.** Aburrirse |
| **e.** Perdedor | **5.** Pasárselo muy mal |
| **f.** Divertirse | **6.** Estar ocupado |

### Ocio cultural
**2. Rellena las frases con la palabra adecuada.**

**a.** Esta tarde vamos a ir a una ..................... de arte precolombino en el Museo de América.
**1.** exhibición      **2.** exposición      **3.** museo      **4.** función

**b.** En el teatro de la escuela van a representar una ......................... de Federico García Lorca esta tarde.
**1.** obra      **2.** pieza      **3.** película      **4.** espectáculo

**c.** Vamos a ir al cine esta tarde, pero todavía no hemos sacado ........................
**1.** las papeletas      **2.** los billetes      **3.** las entradas      **4.** los recibos

**d.** Como la entrada es gratis, hay siempre muchísima ........................... para entrar.
**1.** línea      **2.** persona      **3.** esperas      **4.** cola

**e.** Ese restaurante está muy de moda. Si queréis ir, tendréis que hacer ........................... .
**1.** una reserva      **2.** una reservación      **3.** una reclamación      **4.** fila

**f.** Con la entrada puedes ver la actuación y además tienes derecho a una ...................... .
**1.** silla      **2.** consumición      **3.** tapa      **4.** comida

### El intruso
**3. Tacha la palabra que es diferente y explica por qué.**

**a.** el fútbol, el baloncesto, el tenis, la natación, el cine
**b.** hacer turismo, visitar ciudades, ver la televisión, ir a la montaña, pasear por el campo
**c.** practicar un deporte, leer un libro, ver la televisión, ayudar a los demás, asistir a clases
**d.** ir al cine, asistir a clases de pintura, ir al teatro, a conciertos, a museos, exposiciones, etc.
**e.** jugar a las cartas, trabajar, salir con amigos, leer, escuchar música
**f.** el balneario, el masaje, los baños, las duchas, la montaña

# GRAMÁTICA

## Es un buen amigo

**1. Corrige los errores de *bueno* y *malo* si es necesario.**

a. Jorge es un bueno amigo de mi hermano.
b. El último disco de Alberto Soares es muy bueno.
c. Hoy está lloviendo y no es un bueno día para correr.
d. Me gusta mucho el País Vasco, sobre todo por la buen comida.
e. Qué mala día hizo ayer: hacía frío, llovía, hacía viento…
f. Era un malo tema para empezar una conversación con un desconocido.

## Quiero que lo traduzcas

**2. Rellena los huecos con las formas adecuadas de los verbos *traducir, nacer, ofrecer, conocer, crecer, agradecer, pertenecer, reconocer*.**

a. Si quieres que las plantas ............................... más, tienes que hablarles y ponerles música clásica.
b. He hablado con el jefe de Nacho y me ha dicho que es posible que me ............................... un trabajo.
c. La verdad es que yo nunca he querido ............................... a ningún partido político.
d. Necesito ........................... estos documentos para que me ...........…............... el título de médico de mi país.
e. Elisa llegó a clase hace unos pocos días, no creo que la ............................... .
f. Cuando ............................... el niño, estaré un año sin trabajar para poder cuidar de él.
g. Yo haré bien mi trabajo aunque nadie me lo ............................... .

## ¿Subjuntivo o infinitivo?

**3. Completa con *que* + presente de subjuntivo o con infinitivo.**

*¿Es fácil (llegar) llegar a tu casa?*
*Toma el paraguas, es posible (llover) que llueva.*

a. Es probable (decir, él) ........................ la verdad.
b. Hoy, como es domingo, no quiero (hacer, yo) ........................ nada.
c. No, no, eres mi invitado, no quiero (hacer, tú) ........................ nada.
d. Es imposible (pensar, tú) ........................ que he querido engañarte.
e. No es necesario (ponerse, tú) ........................ así por una cosa tan poco importante.
f. Son muy estrictos con el horario, conviene (llegar, nosotros) ........................ a tiempo.

## Es difícil que venga

**4. Relaciona el principio de cada frase con el final adecuado.**

| | | |
|---|---|---|
| a. | Es una pena | 1. que no puedas venir al concierto con nosotros. |
| b. | Es difícil | 2. que tiene algún motivo para estar enfadado. |
| c. | Es evidente | 3. que sepa tantos idiomas, lo que dijo era mentira. |
| d. | No cree | 4. equivocarse cuando uno habla una lengua extranjera. |
| e. | Es bueno | 5. que todo el mundo esté siempre de acuerdo. |
| f. | Es importante | 6. que su hermano sea capaz de aprobar todas las asignaturas. |
| g. | Está claro | 7. que llueva tanto en esta época. |
| h. | Es raro | 8. caminar todos los días durante una hora. |
| i. | Es fácil | 9. que tengas otras gafas de repuesto cuando conduces. |
| j. | No es verdad | 10. que a tu cuñado no le gustan los gatos. |

# Afirmación y negación
## 5. Responde a estas preguntas.

**a.** Es mejor ir a pasar el fin de semana al pueblo.
- Creo que ........................................................................................................................
- No creo que ....................................................................................................................

**b.** Los niños van a ir a un campamento este verano.
- Está claro que ................................................................................................................
- No está claro que ............................................................................................................

**c.** Esta exposición es maravillosa.
- Pienso que ......................................................................................................................
- No pienso que ..................................................................................................................

**d.** Este artista conocido es bastante malo.
- Creo, como tú, que ..........................................................................................................
- No creo que ....................................................................................................................

**e.** Pablo va a ganar.
- Es posible que ................................................................................................................
- Es imposible que ..............................................................................................................

**f.** A los niños les encanta jugar a las cartas.
- Es normal que ..................................................................................................................
- No es normal que ............................................................................................................

 **COMPRENSIÓN AUDITIVA**

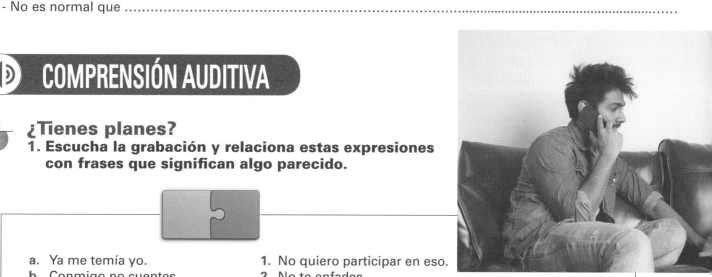

**9**

## ¿Tienes planes?
**1. Escucha la grabación y relaciona estas expresiones con frases que significan algo parecido.**

| | |
|---|---|
| **a.** Ya me temía yo. | **1.** No quiero participar en eso. |
| **b.** Conmigo no cuentes. | **2.** No te enfades. |
| **c.** No te pongas así. | **3.** No insistas tanto. |
| **d.** Había merecido la pena. | **4.** Ya sabía que ibas a decir o hacer eso. |
| **e.** No seas pesado. | **5.** Los beneficios habían compensado los inconvenientes. |
| **f.** Genial. | **6.** Muy bien. |

## 2. Vuelve a escuchar la grabación y contesta las preguntas.

**a.** ¿Por qué Luis quiere llamar a Raúl?
**b.** ¿Quién es Raúl y qué relación crees que tiene con Luis y Alba?
**c.** ¿Por qué Alba no quiere salir con Raúl?
**d.** ¿Lo pasó bien Alba con Raúl la semana anterior?
**e.** ¿Qué pasó el fin de semana anterior?
**f.** Luis quiere convencer a Alba de que llamen a Raúl de nuevo. ¿Qué le dice para convencerla?
**g.** ¿A Alba le apetece? Explica la respuesta.
**h.** ¿Qué tipo de persona parece ser Raúl?

## El juego de *El pueblo duerme*
**1. Lee el texto y contesta las preguntas.**

## El juego de *El pueblo duerme*

El número ideal de jugadores es ocho o más. Hay una persona que dirige el juego, a quien llamaremos *director*. El director reparte una tarjeta a cada jugador. En las tarjetas pueden aparecer tres cosas: *asesino* (1 o 2, dependiendo de la cantidad de jugadores), *policía* (1) y *pueblo* (tantas cartas de este tipo como jugadores queden). Una vez que los jugadores han recibido su carta y la han visto, el director dice: *El pueblo duerme,* y todos cierran los ojos. Cuando todos están dormidos, el director dice: *Se despierta el(los) asesino(s).* El(Los) jugador(es) con esta carta abre(n) los ojos y señala(n) con el dedo a otro jugador, que será su víctima. Una vez hecho esto, el director dice: *Se duerme el(los) asesino(s),* y este(os) cierra(n) los ojos. Lo mismo se hace con el policía: se despierta el policía, este abre los ojos y señala con el dedo al que crea que es el asesino. El director le dirá si ha acertado o no. Luego el director dice: *Se duerme el policía,* y este vuelve a cerrar los ojos. Entonces el director da la última consigna: *Se despiertan todos menos…* y nombra al jugador que eligió el asesino. Este jugador ha sido asesinado.

A partir de ese momento, los jugadores tienen que decidir entre todos quién creen que es el asesino. Si tienen varios nombres, se puede hacer una votación o como el director quiera manejarlo. Una vez que deciden un nombre, el director del juego dice si es el asesino o si no lo es y, en el caso de que no hayan acertado, vuelve a decir: *El pueblo duerme.* Todos cierran los ojos y se vuelve a iniciar la dinámica. Para que los jugadores asesinados puedan seguir participando en el debate, tienen que cerrar los ojos cuando el director dice: *El pueblo duerme.* El proceso se repite de nuevo: el asesino mata a alguien, el policía señala a uno, etc. Así hasta descubrir al asesino o asesinos.

*Adaptado de Juegosparaclase.es*

a. En el juego hay cuatro papeles diferentes. ¿Cuáles son?
   1. - ............................................................................
   2. - ............................................................................
   3. - ............................................................................
   4. - ............................................................................
b. ¿Cuál es el objetivo del juego?
c. ¿Quién decide quién es la víctima?
d. ¿Cómo crees que el pueblo puede descubrir quién es el asesino?
e. Durante las deliberaciones del pueblo, ¿qué crees que tiene que hacer el asesino?
f. El que es asesinado, ¿ya no puede seguir jugando? Explícalo.
g. Las instrucciones no están del todo claras, y de todas formas pueden cambiarse y adaptarse a las circunstancias. ¿Saben los jugadores quién es el policía? ¿Deberían saberlo?
h. ¿Puede el asesino matar al policía? ¿Debería haber una regla a este respecto?
i. ¿Es importante cerrar los ojos cada vez? ¿Crees que hace que el juego sea más interesante? ¿Por qué?

# DENTRO Y FUERA DEL MUSEO

## COMUNICACIÓN

### Expresar cantidades
**1. Expresa las siguientes cantidades según las instrucciones, como en el ejemplo.**

30/90 de mis amigos no visitan museos. (en palabras)
*Un tercio de mis amigos no visitan museos.*

a. Hemos comido en ese restaurante por lo menos 103 veces. (de forma aproximada)
b. La moto gasta 2 litros de gasolina a los 100 kilómetros. La furgoneta 2x10 litros (en palabras)
c. La artista tiene 200 obras. 50/200 de esas obras son esculturas. (en palabras)
d. El 50 % de los alumnos han visitado el museo Reina Sofía. (sin porcentajes)
e. La cantidad de dinero que gasta es mayor que la cantidad de dinero que gana. (empezando por *Gana menos...*)
f. Ana y Vanesa saben lo mismo de pintura. (utilizando *tanto*)

### Expresar negación o juicio de valor
**2. Forma frases, usando la palabra entre paréntesis como en el modelo.**

Tus amigos se ríen de ti. (no cierto)
*No es cierto que mis amigos se rían de mí.*

a. No te gustan los museos. (no verdad)
b. Los niños aprenden música en el cole. (fundamental)
c. Las paredes están llenas de pintadas. (intolerable)
d. Natalia va a estudiar Bellas Artes. (no claro)
e. Está prohibido tocar música en la calle. (ridículo)
f. Voy a pasar a limpio la redacción. (no necesario)

## LÉXICO

### El mundo del arte
**1. Elige para cada frase la palabra adecuada (1, 2, 3 o 4) en la forma necesaria (singular, plural, etc.).**

a. Los/Las .......................... de Fernando Botero son de colores suaves y formas curvas.
b. Las paredes de mi universidad siempre están llenas de .......................... .
c. No sé explicarte cómo es el mueble que he visto. Te voy a hacer un/una.......................... .
    1. pintura          2. dibujo          3. pintada          4. cuadro
d. El .......................... se basa en líneas geométricas y la ausencia de perspectiva. Los colores son apagados.
e. La palabra .......................... se aplicó primero a un movimiento literario. En la pintura, este movimiento se distinguió por romper con el neoclasicismo.
f. Los pintores del .......................... no querían captar la realidad, sino dar salida a sus sentimientos.
g. El cubismo y el expresionismo son .......................... de principios del siglo xx.
    1. romanticismo          2. cubismo          3. expresionismo          4. corriente

**h.** En vez de pintar sobre un ......................... antes los artistas pintaban a veces sobre tablas de madera.

**i.** La acuarela es una ......................... difícil porque no permite realizar retoques.

**j.** El pintor añadía brillos a la figura con suaves ......................... blancos.

**k.** Hay que lavar bien los ......................... después de pintar para que no se sequen.

      **1.** lienzo          **2.** pincel          **3.** técnica          **4.** trazo

**l.** Ayer fuimos a ver una ......................... de Wilfredo Lam en el museo de Arte Moderno.

**m.** Los cuadros de esta ......................... son todos de pintores abstractos.

**n.** Mi amiga Lola ha ganado el primer ......................... en un ......................... muy importante de pintura.

      **1.** exposición          **2.** premio          **3.** sala          **4.** concurso

**ñ.** Las líneas inclinadas dan sensación de .........................; las horizontales, de estabilidad.

**o.** Este cuadro es muy alegre con todos esos colores vivos y ......................... .

**p.** El pintor nos da una ......................... distorsionada de la realidad.

**q.** Esta artista pinta sobre varias capas de cristal transparente, y las ......................... se superponen.

      **1.** luminoso          **2.** movimiento          **3.** imagen          **4.** visión

**r.** Las pintadas no hacen más que ......................... las paredes. ¡No hay derecho!

**s.** Velázquez utiliza la luz para ......................... efectos muy realistas.

**t.** Los colores son tristes y aburridos. ......................... gris y ......................... colores vivos.

      **1.** faltar          **2.** ensuciar          **3.** sobrar          **4.** crear

**u.** El azul y el blanco se utilizaban como ......................... de la pureza en los retratos de santas.

**v.** Esta etapa de Picasso muestra una ......................... desde el figurativismo al cubismo.

**w.** La ......................... de este pintor es enorme: más de 500 cuadros.

**x.** La pintora tiene un ......................... de la perspectiva muy peculiar: pinta formas sin volumen.

      **1.** concepto          **2.** símbolo          **3.** evolución          **4.** obra

 **GRAMÁTICA**

## Estructuras comparativas

**1. Da tu opinión completando las frases con *menos/más* y *que* o *de*.**

**a.** Los cuadros de Tàpies son ...................... interesantes ...................... lo que creía.

**b.** El arte contemporáneo es ...................... difícil de entender ...................... el arte moderno.

**c.** La pintura de Velázquez me gusta ...................... ...................... la de Goya.

**d.** Picasso tenía una personalidad ...................... fuerte ...................... lo que parecía.

**e.** El Prado tiene ...................... ...................... 10 000 pinturas.

**f.** El Museo Thyssen tiene ...................... pinturas ...................... el Museo del Prado.

# Estar + gerundio o *llevar* + gerundio

**2. Escribe frases utilizando las palabras entre paréntesis como en el ejemplo.**

(yo estudiar tres horas > tú llamar a mí)
*Llevaba estudiando tres horas cuando me llamaste.*
(yo estudiar > tú llamar a mí)
*Estaba estudiando cuando me llamaste.*

**a.** (nosotros hablar de ella solo cinco minutos > ella aparecer) ..................................................
**b.** (ellos jugar al fútbol > empezar a llover) ..................................................................
**c.** (¿cuánto tiempo tú dormir > yo llamar por teléfono ayer?) ........................................
**d.** (yo jugar a las cartas > de repente yo marearse) ......................................................
**e.** (ir al gimnasio toda la vida > por eso estar en forma) ................................................
**f.** (ser francés > vivir 20 años en Madrid) ....................................................................

# ¿Gerundio o infinitivo?

**3. Completa el texto con los verbos del recuadro, en gerundio o en infinitivo.**

| comer | dar | decir | esperar | gritar | llamar (2) | salir | tener | tomar |

- Te vi ayer. Estabas ........................ un chocolate con churros en una terraza de la plaza Mayor.
- ¿Ah, sí? ¿Y dónde estabas tú?
- En el balcón de una casa, ........................ del restaurante a mano derecha. No tenía mi móvil. La única forma de ........................ tu atención era ........................, pero me pareció que era mejor ........................ .
- ¡Qué gracia! Pues precisamente yo te estaba ........................ y, claro, tú no contestabas. Te pensaba ........................ una sorpresa.
- ¿Cómo pensabas darme una sorpresa?
- Muy fácil: ........................te que he aprobado el examen. ¡Ya tengo trabajo!
- ¡Bien!
- Te invito a ........................ para celebrarlo.
- ¡Muchas gracias! ........................ amigas como tú, me sale barato comer.

## 10 Artistas callejeros

**1. Escucha la entrevista a un pintor urbano y contesta las preguntas.**

Entre los artistas callejeros que tienen mayor representación en los muros de San Telmo está Louis Danjou, acá Grolou, un francés de 25 años que vino a Sudamérica hace cinco y se instaló en Buenos Aires.

El Gauchito Gil es una figura religiosa, un objeto de devoción popular en la Argentina. Su fundamento histórico está en la persona del gaucho Antonio Mamerto Gil Núñez, de quien se sabe poco con certeza. No está comprendido dentro de la liturgia católica.

venir. www.groulou.tk o louisdanjou@gmail.com  —C.M.B.
http://www.elsoldesantelmo.com.ar/?p=761

Monstruos

**a.** Ahora mismo en San Telmo...
1) hay más pintores que antes en las calles.
2) sigue habiendo los mismos pintores aproximadamente.
3) ya no hay pintores pintando en la calle.

**b.** ¿Cuándo pinta Grolou las paredes?
1) Siempre que le dan permiso.
2) De noche ilegalmente.
3) Solo cuando los vecinos se lo piden.

**c.** Grolou no se considera grafitero...
1) porque nunca pinta con aerosol.
2) porque él no solo pinta paredes.
3) aunque él solo pinta en la calle.

**d.** ¿Por qué le gusta pintar en la calle?
1) Porque es más fácil exponer en la calle que en las galerías.
2) Porque no le molesta la gente que pasa a su lado.
3) Porque la pintura en la calle es para todos y siempre está renovándose.

**e.** ¿Está satisfecho con su obra de San Telmo?
1) No, porque sus pinturas no se renuevan.
2) Sí, porque el barrio está lleno de obras suyas.
2) Sí, porque apenas ha dejado paredes sin pintar.

**f.** ¿Qué proyecto tiene para el futuro inmediato?
1) Una escultura de diez metros sobre el general Belgrano.
2) Un mural especialmente alto.
3) Temas argentinos, pero todavía no sabe exactamente cuál.

**g.** ¿Qué dificultades tiene para su nuevo proyecto?
1) La pintura, que es más cara que antes.
2) Todavía no le dan permiso.
3) No ha encontrado una pared adecuada.

Gauchito Gil

## La persistencia de la memoria

**1. Lee el texto y busca las palabras que corresponden a las definiciones.**

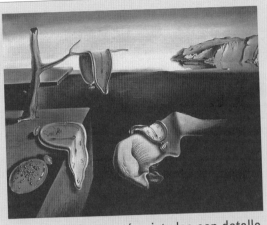

*La persistencia de la memoria* es un óleo realizado por Dalí en 1931 y pertenece al estilo surrealista, una vanguardia artística que nació en 1924. El surrealismo de Dalí es figurativo y basado en los delirios y los sueños. El resultado son escenas que sorprenden al espectador por la delirante asociación de los objetos. La obra representa un paisaje onírico, de grandes espacios, en el que los objetos aparecen con formas extrañas. En primer plano a la izquierda, se observa un bloque probablemente de madera, que hace las funciones de una mesa. En el centro de la obra aparece una extraña figura que recuerda una cabeza blanda, con un cuello que se diluye en la oscuridad. La figura parece dormir sobre la arena. Se ven cuatro relojes, tres de ellos blandos y doblados. Estos objetos están en una playa desierta.

La técnica de Dalí es precisa. El dibujo es académico, de líneas puras. Los objetos están pintados con detalle, aunque no son reales, parece un realismo casi fotográfico. El artista utiliza un color brillante y luminoso en el que contrastan con fuerza los tonos cálidos con los fríos. La luz tiene un poderoso papel y ayuda a crear una atmósfera onírica y delirante. El cuadro parece quedar dividido en una parte (al fondo y a la izquierda) de enorme luminosidad y otra (primer plano a la derecha) de sombra. Respecto a la composición, las líneas son en su mayoría horizontales, solo es vertical la que marca el tronco del árbol. Las líneas curvas de los relojes y de la figura central parecen proporcionar un lento movimiento a la quietud de esta playa. Dalí suspende conscientemente el control de la razón para pintar y dar salida a sus sueños, sus obsesiones y sus delirios.

*Adaptado de Fran Terán http://es.paperblog.com*

**a.** Estado en el que se pierde la razón y se tienen alucinaciones:
..................................................................................................................

**b.** Que representa la realidad de forma realista, no abstracta:
..................................................................................................................

**c.** Técnica de pintura con colores diluidos en aceite:
..................................................................................................................

**d.** Relacionado con los sueños:
..................................................................................................................

**e.** Forma de distribuir los objetos en el cuadro:
..................................................................................................................

**f.** Idea que no podemos quitar de nuestra mente:
..................................................................................................................

Museo Dalí

## 2. Contesta las preguntas.

**a.** ¿Cuál de estas cosas no hace el crítico de arte?
**1.** Describir el cuadro　　**2.** Hablar de la vida del pintor　　**3.** Explicar el estilo

**b.** La figura del centro recuerda a…
**1.** Una especie de pez　　**2.** Una parte del cuerpo humano　　**3.** Una parte del paisaje

**c.** ¿Qué destaca el crítico sobre el estilo?
**1.** La precisión de la técnica　　**2.** Los colores irreales　　**3.** El dibujo no preciso

**d.** ¿Cómo son los colores?
**1.** Predominan los cálidos　　**2.** Predominan los fríos　　**3.** Los hay tanto cálidos como fríos

**e.** ¿Cómo son las líneas?
**1.** Todas horizontales　　**2.** Casi todas horizontales　　**3.** Tanto rectas como curvas

**f.** ¿Qué importancia tiene la razón en el artista al pintar este cuadro?
**1.** Está todo basado en la razón: por eso es tan preciso.
**2.** Es el contraste entre el paisaje (la razón) y los relojes (el delirio).
**3.** Dalí no usa la razón: todo es como un sueño.

# AUTOEVALUACIÓN

**Portfolio: evalúa tus conocimientos**

Después de las unidades 9 y 10

Fecha: .............................................

##  COMUNICACIÓN

Soy capaz de hacer sugerencias de ocio
**Escribe las expresiones:** _____

Soy capaz de ofrecer ayuda y aceptar o rechazarla
**Escribe las expresiones:** _____

Soy capaz de explicar las reglas de un juego
**Escribe las expresiones:** _____

Soy capaz de describir un cuadro
**Escribe las expresiones:** _____

Soy capaz de comparar cifras en forma de proporciones
**Escribe las expresiones:** _____

Soy capaz de expresar mi opinión
**Escribe las expresiones:** _____

##  GRAMÁTICA

Puedo usar *bueno* o *malo* con apócope
**Escribe algunos ejemplos:** _____

Puedo conjugar verbos irregulares en presente de subjuntivo
**Escribe algunos ejemplos:** _____

Puedo utilizar el indicativo o el subjuntivo en oraciones subordinadas
**Escribe algunos ejemplos:** _____

Puedo usar otras estructuras comparativas *más de, menos de, igual de*
**Escribe algunos ejemplos:** _____

Puedo formar y usar el gerundio
**Escribe algunos ejemplos:** _____

Puedo usar el subjuntivo para negar hechos y emitir juicios de valor
**Escribe algunos ejemplos:** _____

##  LÉXICO

Conozco las palabras relacionadas con el ocio
**Escribe las palabras que recuerdas:** _____

Conozco las palabras relacionadas con el arte
**Escribe las palabras que recuerdas:** _____

# CON LOS CINCO SENTIDOS

## COMUNICACIÓN

## ¿Qué tal tu sentido del olfato?
**1.a. Contesta a este cuestionario.**

### TEST DE OLFATO

- ¿Tienes buen olfato? ☐ Sí ☐ Regular ☐ No
- ¿Identificas fácilmente los olores? ☐ Sí, siempre ☐ A veces ☐ No, nunca
- ¿Sabes distinguir un perfume de otro? ☐ Sí ☐ Depende ☐ No
- ¿Cuál es la marca de tu perfume preferido? ..................
  ☐ No me acuerdo ☐ Nunca uso el mismo perfume
- ¿A qué huele? ☐ a rosas ☐ a jazmín ☐ a limón ☐ a madera ☐ otro olor
- ¿Es una fragancia fresca, ligera o te gusta un poco más intensa y que permanezca más tiempo en tu piel?
- ¿Cuál es tu olor preferido aparte del perfume? ☐ a bebé ☐ a mar ☐ a hierba fresca
  ☐ a flores ☐ a cremas ☐ a panadería/pizzería ☐ a otras cosas
- ¿Y cuál es el olor que más detestas? ☐ el de un sitio cerrado ☐ el olor a tabaco
  ☐ a pescado ☐ otros

**b. Ahora escribe unas líneas resumiendo tus respuestas al cuestionario.**
*Creo que tengo un buen sentido del olfato...*

## Comunicarse con gestos
**2. Contesta a las preguntas.**

a ¿Hacen tus compatriotas muchos gestos para comunicarse? ¿Cuáles?
.......................................................................

b. ¿Y tú, haces muchos gestos cuando hablas? ¿Cuáles?
.......................................................................

c. ¿Crees que los latinos gesticulan demasiado?
.......................................................................

d. ¿Conoces los cinco sentidos? Nómbralos.
.......................................................................

e. ¿Qué sentido tienes más desarrollado? Explica por qué.
.......................................................................

f. ¿Qué sentido crees que es el más importante? ¿Por qué?
.......................................................................

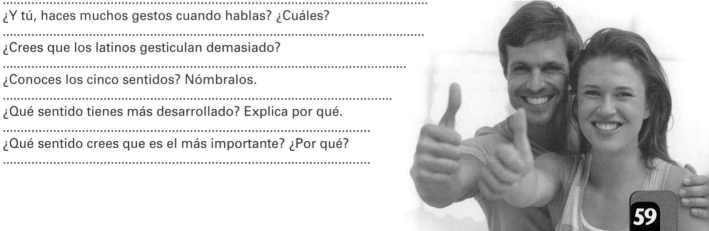

## ¿A qué sabe?

**1. Termina las frases con las opciones que aparecen.**

|  | | Verbos | Final de frase |
|---|---|---|---|
| **a.** | El gazpacho... | parece | romántica |
| **b.** | La balada... | es | a ajo |
| **c.** | El papel... | sabe | muy mandona |
| **d.** | La fragancia... | huele | transparente |
| **e.** | La vista desde la torre... | es | agradable |
| **f.** | La jefa... | suena | impresionante |

## Refranes

**2. Completa los diálogos con los siguientes refranes.**

> **1.** Sobre gustos no hay nada escrito.

> **2.** Ojos que no ven, corazón que no siente.

> **3.** Ver para creer.

> **4.** No hay peor sordo que el que no quiere oír.

**a.** - Hola, Natalia, ¿ese perrito es tuyo? ¿Tú, con perro?
   - Sí, ¿a que es precioso? Se llama Chiquitín.
   - Pero si a ti nunca te han gustado los perros, es más, siempre estabas protestando de los ladridos del perro de tu vecino. En fin, .....

**b.** - ¡Qué casa tan espantosa! Parece un cubo de cemento.
   - ¡Qué dices! A mí me encanta, es moderna, minimalista y vanguardista.
   - Bueno, la verdad es que .....

**c.** - Abuela, te he dicho veinte veces que no me gustan las lentejas. Y tú me las pones cada semana.
   - Pero debes comerlas, las legumbres son necesarias y nutritivas.
   - Me rindo, .....

**d.** - Alberto se ha ido a trabajar un año a Buenos Aires, ¿y sabes qué? Su novia está saliendo con otro chico aquí sin que Alberto lo sepa.
   - Hasta cierto punto es natural. .....

## Expresiones idiomáticas

**3.a. Elige la opción correcta.**

**a.** *Chuparse los dedos* significa:
   **1.** que los tienes que lavar.
   **2.** que algo está muy rico.

**b.** *Estar a dos velas* significa:
   **1.** que no tienes dinero.
   **2.** que estás muy triste.

**c.** *Partirse de risa* significa:
   **1.** irse riendo.
   **2.** reírse muchísimo.

**d.** *Quedarse así* significa:
   **1.** que la persona ha adelgazado mucho.
   **2.** que la persona se ha quedado quieta.

**b. Ahora relaciona las expresiones con los dibujos.**

☐          ☐          ☐          ☐

## ¿Con qué parte del cuerpo?

**4. Completa las expresiones idiomáticas con las partes del cuerpo.**

| cerebro | los ojos | la lengua(2) |
|---|---|---|

a.  - Ese joven hace y dice muchas tonterías.
    - Sí, es que el pobre no tiene ......................... .
b.  - ¿Cómo se llama la actriz de la película de anoche? No me acuerdo.
    - Espera, se llama... Uy, lo tengo en la punta de ......................... .
c.  - Tenías que ver la cara que puso el taxista cuando le dejamos tres euros de propina.
    - Me lo imagino, seguro que abrió ......................... como platos y os dio las gracias.
d.  - Los niños acaban de discutir y se han peleado.
    - ¿Y qué ha pasado?
    - Pues que Diego le ha sacado ......................... a María y ahí ha empezado todo.

## Verbos de percepción

**1. Completa las frases con el verbo en la forma adecuada.**

a.  Tina: Hola, mi amor, ¿me (oír, tú) ............... ?
    Pepe: No, no te (oír, yo) ............... bien. ¿Dónde estás?
    Tina: En el aparcamiento subterráneo por eso creo que no me (oír, tú) ............... bien. Hay muy poca cobertura.
b.  - Este piano (sonar) ............... bien, ¿verdad?
    - Pues a mí no me (parecer) ............... que (sonar) ............... del todo bien. Creo que está desafinado. Vamos a preguntarle a Marcos, el profesor de piano.
c.  - ¿A qué ................. (oler) en esta habitación?
    - No sé, a mí me (parecer) ............... que (oler) ............... a humedad, ¡uf! ¡Qué peste!
    - Yo no creo que (oler) ............... a humedad, sino a polvo y a sitio cerrado.
d.  - Pobre niño, (parecer) ............... triste. Seguro que le ha pasado algo.
    - No creo que (parecer) ............... triste, sino que él tiene esa cara. La verdad, (parecer) ............... un angelito de un libro.

## La consecuencia

**2. Termina las frases subordinadas consecutivas.**

a.  Le dolían mucho las muelas, así que .................................................................................
b.  El café me salió muy amargo, por eso .............................................................................
c.  La flauta que se compró no sonaba muy bien, de modo que ...........................................
d.  Juana y Lola son gemelas, por eso .................................................................................
e.  Este jersey tiene un tacto estupendo, de modo que ........................................................
f.  Mi padre tiene la vista cansada, por eso .........................................................................

## La causa

### 3. Termina las frases.

a. Como no tenía wifi, no ........................................................ (por Skype)
b. No pude invitar a la cena por no ........................................... (ni dinero ni tarjeta)
c. Como estaba muy acatarrada, no ........................................... (la deliciosa comida)
d. No pudo oír música en su iPod por ........................................ (auriculares)
e. Como no tenía mucho olfato, no ............................................ (comida quemada)
f. No supo llegar a su destino por no ......................................... (navegador)

## El verbo *soler*

### 4. Completa con *soler* en la forma y el tiempo adecuado.

a. Ella no ................. ir al trabajo en coche, le resulta imposible aparcar.
b. De adolescentes, ......................... (nosotros) trabajar los veranos para ganarnos un dinerito.
c. Los Fernández no ......................... cenar fuera, prefieren quedarse en casa.
d. Antes, Javier, el bloguero, ...................... escribir a todas horas, pero ya no ................. hacerlo.
e. - ¿..................... (vosotros) comprar libros *on-line*?
   - La verdad es que yo no .................... hacerlo, pero mis amigos sí.
f. Hace unos años .................... (yo) ir a Pilates todos los días, pero ahora .................... ir dos veces por semana.

## ¿Con qué palabra?

### 5. Completa el texto con las palabras del recuadro.

| como |
| parece |
| oiga |
| por |
| suele |
| de modo que |
| por eso |

Paco es una persona muy responsable y organizada. No .................... dejar nada a la improvisación, .................... lo tiene todo programado desde que se levanta hasta que se acuesta. .................... es muy puntual y no le gusta llegar tarde al trabajo, se levanta dos horas antes. A veces, .................... llegar tan temprano, su despacho está cerrado, .................... , sus colegas se ríen de él, sobre todo los que llegan siempre tarde al trabajo. Paco .................... estresado porque es él el encargado de controlar los horarios de los empleados. Felizmente, no creo que .................... los comentarios que los demás hacen de él.

---

## 🔊 COMPRENSIÓN AUDITIVA

### 11 Susto en la oficina

**1. Escucha y di si las frases son ciertas o falsas. Corrige la información errónea.**

V    F

a. La historia que cuenta Pilar no la conocen sus amigos. ☐ ☐
b. La oficina de Pilar está en el noveno piso del edificio. ☐ ☐
c. Normalmente suele terminar de trabajar a las siete de la tarde. ☐ ☐
d. Pilar se quedó sola a trabajar en la oficina porque tenía que entregar un informe. ☐ ☐
e. Dice que no tiene buen olfato. ☐ ☐
f. Al cabo de una hora trabajando concentrada empezó a oler a quemado. ☐ ☐
g. Las alarmas del edificio empezaron a sonar, pero no se asustó. ☐ ☐
h. Decidió salir corriendo en cuanto oyó la alarma de incendios. ☐ ☐
i. Vio llamas y fuego por todas partes. ☐ ☐
j. Un guardia de seguridad intentaba apagar el fuego. ☐ ☐

### 2. Contesta a las preguntas.

a. ¿Qué dice Pilar que se debe hacer cuando suenan las alarmas de incendios?
b. ¿Qué otro instinto menciona Pilar en el texto?
c. ¿Por qué olor se dejó guiar para ver lo que pasaba?
d. ¿Quién tuvo la culpa y qué fue lo que realmente pasó?

## Vivir sin olfato

**1. Lee el texto y relaciona las palabras con la definición.**

El olfato es un sistema de alerta que nos avisa de la presencia de un peligro en las cercanías, como un fuego o un escape de gas o de la posible presencia de sustancias tóxicas en el aire. Es sabido que las cuestiones peligrosas para el ser humano tienen malos olores. Las personas que padecen anosmia, la ausencia total del sentido del olfato, carecen de dicha alarma y además esto les impide apreciar los matices de la comida.

La causa más frecuente de la anosmia suele ser los pólipos nasales. En este caso la enfermedad es reversible pues, tras operar los pólipos, se puede recuperar el olfato. También es habitual la pérdida del olfato en los resfriados comunes y las alergias nasales, pero existe un porcentaje alto de personas que, debido a procesos víricos, puede llegar a perder el olfato definitivamente.

La pérdida temporal del olfato interfiere en la manera en la que percibimos los sabores. Si alguien se acatarra, la comida le resulta insípida. De este modo, cuando una persona acude a la consulta del médico con la sospecha de que ha perdido el olfato, el especialista le suele preguntar si toma café y a qué le sabe. Si el paciente responde que, evidentemente, el café le sabe a café, es que su olfato todavía funciona. Si, por el contrario, asegura que el café le sabe como el agua caliente, esa persona no está percibiendo los olores. Los especialistas utilizan sustancias que no tienen ningún componente de sabor como el café o la vainilla para realizar una prueba llamada olfatometría. Tras esta prueba, se practican otras para averiguar cuál es el origen de la anosmia, pues la solución depende de la causa que la haya provocado.

Cuando la anosmia es transitoria y está producida por una patología, se corrige tratando la causa. Sin embargo, para los casos en los que la pérdida del olfato es definitiva no existe tratamiento.

*tvnet.us/vivir-sin-olfato*

| | |
|---|---|
| **a.** Matices | **1.** Tumor, bulto. |
| **b.** Pólipo | **2.** Descubrir. |
| **c.** Reversible | **3.** Resfriarse, no poder respirar por la nariz. |
| **d.** Acatarrarse | **4.** Grados de intensidad. |
| **e.** Averiguar | **5.** Que puede volver a un estado o condición anterior. |

## 2. Contesta a las preguntas.

**a.** ¿De qué nos avisa el olfato?

**b.** Según el texto, ¿qué tienen malos olores?

**c.** ¿Cuál es el término médico para la ausencia total del olfato?

**d.** ¿Cuándo se puede recuperar el olfato y cuándo no?

**e.** ¿Con qué otro sentido interfiere el olfato?
    **1.** La vista           **2.** El sabor           **3.** El oído

**f.** *Insípido* significa:
    **1.** que no tiene color     **2.** que no tiene sabor     **3.** que no tiene cuerpo

**g.** ¿Qué pregunta les suele hacer el especialista a los pacientes que dicen que han perdido el olfato? ¿Por qué?

**h.** ¿Qué sustancias utilizan los especialistas para hacer la prueba de la anosmia?

**i.** ¿Qué crees que significa *patología*?
    **1.** Enfermedad         **2.** Curación         **3.** Peligro

**j.** ¿Existe curación para la pérdida del olfato definitiva?

**k.** ¿Crees que este es un problema grave? ¿Conoces a alguien que lo padece?

**l.** Cuando has estado constipado, ¿has experimentado la pérdida del olfato y del gusto? ¿Con qué alimentos?

# PROBLEMAS Y SOLUCIONES

 **COMUNICACIÓN**

## El banco
### 1. Contesta a este cuestionario.

## HÁBITOS BANCARIOS

**¿Tienes cuenta corriente, tarjeta de crédito o de débito en algún banco? ¿En cuál? ¿Estás satisfecho con sus servicios? ¿Y con el personal que trabaja allí? ¿Por qué elegiste ese banco?**

- [ ] Por cercanía
- [ ] Por recomendación de alguien
- [ ] Por su eficacia, prestigio
- [ ] Por sus condiciones
- [ ] Por otros motivos

**¿Qué tipo de operaciones realizas en el banco?**

- [ ] Sacar dinero
- [ ] Ingresar dinero
- [ ] Hacer transferencias
- [ ] Pedir créditos
- [ ] Otras

**¿Utilizas la banca electrónica? ¿Para qué?**

- [ ] Comprobar tu saldo (dinero que tienes en tu cuenta)
- [ ] Ver recibos
- [ ] Hacer transferencias
- [ ] Otras cosas

**¿Sacas normalmente dinero del cajero automático que hay en la calle, fuera del banco, o vas allí en persona? ¿Con qué frecuencia sacas dinero?**
**¿Crees que los bancos en general se aprovechan de sus clientes?**
**¿En qué sentido?**

- [ ] Por medio de comisiones
- [ ] Por medio de altos intereses
- [ ] Otros medios

GOBIERNO DE ESPAÑA

MINISTERIO DE SANIDAD Y CONSUMO

## Pedir y hacer un favor

**2. Relaciona las columnas.**

a. ¿En qué puedo ayudarla?
b. Mi pasaporte está caducado y mañana viajo.
c. ¿Cuánto nos queda para llegar?
d. ¿Me echas una mano con las Matemáticas?
e. El pastel me ha quedado fatal.
f. ¿Podrías prestarnos 500 euros?

1. Déjame que lo piense, es mucho dinero.
2. Media hora aproximadamente.
3. Quería solicitar un crédito.
4. No te preocupes. Vamos a arreglarlo al meterlo al horno.
5. Veamos lo que se puede hacer. Lo veo muy complicado.
6. Ahora mismo no puedo, me viene mal.

## Plantear un problema

**3. Ordena el diálogo.**

☐ Sí, ahora se pone, un momento, le paso.
☐ Me llamo Dolores Sánchez y estuve ayer jugando al tenis en sus instalaciones deportivas.
☐ Pues no he quedado muy satisfecha con el estado de las pistas. El suelo estaba irregular y en algunas partes había agujeros. La pista era la número 6.
☐ ¿Podría hablar con el encargado de mantenimiento de las pistas de tenis?
☐ Bueno, pues muchas gracias, espero no tener que llamar para quejarme.
☐ Instalaciones deportivas del club Bosque. ¿En qué puedo ayudarla?
☐ Ah, pues lo siento enormemente, esa es nuestra peor pista, de hecho la vamos arreglar en unos días. Le pido disculpas. La próxima vez que venga, le devolveremos el dinero que pagó por la pista.
☐ ¿Y ha tenido algún problema?
☐ Dígame, ¿con quién hablo?

 **LÉXICO**

## Las partes del cuerpo

**1. Completa con estas expresiones en la forma correcta.**

| perder la cabeza | echar una mano | meter la pata |
| estar hasta las narices | hablar por los codos | ser todo oídos |

a. Algunas personas, entre las que me incluyo, tienen un poder especial para ............................................. . Es decir, que dicen justo lo que no se debe decir.
b. - Esta mañana me he encontrado con Laura. Hacía tiempo que no la veía y no ha parado de hablar todo el rato.
   - Sí, es que ...................................... . A veces hay que pedir turno para que te deje hablar a ti.
c. - Tengo algo muy importante que contarte.
   - Venga, dime, ............................................. .
d. Su sobrino les dijo si le podían ...................................... con el ordenador. Se lo acababa de comprar y no sabía cómo ponerlo en funcionamiento.
e. - El mes que viene nos vamos de crucero por el Mediterráneo.
   - Pero ¿......................................? No podemos permitírnoslo.
f. Ignacio tiene 6 hermanos y los mayores ...................................... de que los pequeños no les obedezcan. Tienen que llamarles la atención todo el tiempo. Son muy traviesos.

## Sinónimos

**2. Tacha la palabra con significado diferente.**

a. prestar, regalar, dejar
b. pedir, reclamar, solicitar
c. ahorrar, invertir, reducir gastos
d. interés, crédito, préstamo
e. precio, sueldo, salario
f. en efectivo, con tarjeta, en metálico

## La palabra adecuada

**3. Completa las frases con las palabras del ejercicio anterior en su forma adecuada (puede haber dos posibilidades).**

**a.** Cuando nos compramos nuestro piso, el ........................ estaba al 8 %, ahora ha bajado al 2,5 %.

**b.** El taxista comenzó con un ........................ bastante bajo, unos 800 euros al mes. Más tarde, pidió un ........................ y se compró su propio taxi.

**c.** Su amiga íntima le va a ........................ dinero para que pueda irse de vacaciones.

**d.** La pareja lleva ........................ un tiempo para poder comprarse un piso.

**e.** El ........................ del metro cuadrado en la capital es mucho más caro que en otras ciudades.

**f.** En esa tienda tienes que pagar ........................, la máquina la tienen rota y no puedes pagar ........................ .

 GRAMÁTICA

## El verbo *quedar*

**1. Completa los diálogos con el verbo *quedar* en la forma y tiempo correcto. Señala el valor que tiene este verbo en los diálogos: cantidad, resultado, sitio/hora.**

**a.** - ¿........................ (tú) con tus familiares el fin de semana pasado?
- Sí, ........................ todos en la plaza Mayor a tomar el aperitivo.

Valor de ............................................

**b.** - ¿Cómo ........................ tu piso después de la reforma?
- Pues genial, ¿quieres venir a verlo?

Valor de ............................................

**c.** - ¿Todavía te ........................ algunos días de vacaciones para escaparnos a alguna capital europea?
- Sí, me ........................ tres días solamente, pero no me apetece viajar a ningún lugar, prefiero descansar.

Valor de ............................................

**d.** - Tengo un hambre que me muero. He bailado tanto... ¿........................ algo de comer?
- No ........................ nada, bueno, una ración de tarta. ¿La quieres?

Valor de ............................................

**e.** ¿Sabes cómo se conocieron? Primero por Internet. Luego ........................ y se gustaron.

Valor de ............................................

## *Ir(se)* y *venir(se)*

**2. Completa con *ir(se)* y *venir(se)* en el tiempo y forma adecuados.**

**a.** Cristina, ya he llegado a casa y he preparado la cena, ........................ para acá, no tardes.

**b.** Mis familiares mexicanos ........................ de vacaciones a Acapulco todos los veranos.

**c.** La pareja de recién casados ........................ al banco a solicitar un crédito para comprarse un apartamento.

**d.** Nuestros colegas franceses no ........................ nunca a nuestras oficinas aquí en Bilbao.

**e.** - ¿........................ (tú) ayer a la universidad a matricularte en esa asignatura?
- No, no ........................ (yo) porque ........................ el electricista a arreglar unas cosas en mi casa. Pero si puedo ........................ (yo) mañana por la mañana.

**f.** Pedro y Carlos ........................ a trabajar aquí, a España, justo en el mismo momento en que yo ........................ a Venezuela. Casi nos cruzamos en el camino.

## ¿*Por o para*?

**3. Completa con *por* o *para* y di el valor que tienen: finalidad, dirección, precio, causa, etc.**

**a.** Este regalo es ........................ él, espero que le guste.

**b.** Estuvimos buscando las llaves ........................ toda la casa, pero no las encontramos.

**c.** Están paseando ........................ la playa y tomando el sol.

**d.** - Hola, Juan, ¿vas ........................ el instituto?
- No, estoy enfermo y voy al médico.

**e.** Te mandé un mensaje ........................ WhatsApp. ¿No te llegó?

**f.** Está comiendo menos ........................ adelgazar unos kilos.

# Verbos con preposición

**4. Relaciona teniendo cuidado con la preposición.**

a. Está tan enamorado
b. Alfonso es banquero y habla
c. El equipo de fútbol participó
d. No conseguimos conectar
e. ¿Has soñado alguna vez
f. El nuevo Gobierno ha comenzado

1. con Lucas por Skype.
2. con lo que te ocurrió durante ese día?
3. de ella que haría cualquier cosa por estar junto a ella.
4. de la crisis económica a todas horas.
5. a preparar la campaña electoral.
6. en el torneo de la Copa del Rey.

# La preposición adecuada

**5. Completa los huecos con la preposición correcta:**
*a, con, de, en, para, por.*

Hola, cielo:
¿Qué tal estás? Yo un poco triste ........ no tenerte aquí conmigo. Tú estás tan lejos... Pienso ........ ti a cada momento. ¿Tú te acuerdas ........ mí?
Voy ........ la oficina y estoy un poco sentimental y como el viaje dura una media hora, tengo tiempo ........ trabajar y escribir algún correo electrónico.
Quiero empezar ........ poner en práctica lo que me dijiste, disfrutaré ........ mi nuevo trabajo e intentaré estar ........ Barcelona contigo el fin de semana.
Les he hablado ...... ti a mis nuevos colegas y todos quieren conocerte.
Ah, se me olvidaba, voy a participar ...... un torneo de ajedrez. He quedado esta noche ...... los de la oficina ........ dar una vuelta. Tranquila, ja, ja, ja, casi todos tienen pareja.
Bueno, cariño, te llamaré ...... la noche.
Besos,
Ricardo

## 🔊 COMPRENSIÓN AUDITIVA

**12** **Raquel está esperando**

**1. Contesta verdadero o falso y corrige la información incorrecta.**

|  | V | F |
|---|---|---|
| a. Raquel lleva una hora esperando a Esteban en casa. | ☐ | ☐ |
| b. Esteban dice que habían quedado a las nueve en la puerta del teatro. | ☐ | ☐ |
| c. Raquel dice que habían quedado a las ocho y media para tomar un café. | ☐ | ☐ |
| d. Esteban se disculpa. | ☐ | ☐ |
| e. A Raquel no le quedaba batería en el móvil y no pudo llamarlo antes. | ☐ | ☐ |
| f. Esteban sugiere verse una hora más tarde. | ☐ | ☐ |
| g. Esteban invita a Raquel a cenar en un restaurante de moda. | ☐ | ☐ |
| h. Raquel decide continuar con sus planes iniciales. | ☐ | ☐ |
| i. Raquel no está enfadada con Esteban. | ☐ | ☐ |

# El Defensor del Pueblo

**1. Lee el texto y relaciona las palabras con su significado.**

El Defensor del Pueblo (a veces nombrado con el término sueco *Ombudsman*, *comisionado* o *representante*) es una autoridad del Estado encargada de garantizar los derechos de los habitantes ante abusos que puedan hacer los poderes políticos. Esta figura procede de la Constitución Sueca y se creó en 1809 para ayudar a los ciudadanos ante abusos de difícil solución por vía burocrática o judicial. En los países hispanohablantes se llama comúnmente *Defensor del Pueblo*, mientras que en los países francófonos suele llamarse *Médiateur de la République*. Algunos países también lo han titulado *Defensor de los Ciudadanos*.

El Defensor del Pueblo es elegido por el Congreso de los Diputados y el Senado. Su mandato dura cinco años y no recibe órdenes ni instrucciones de ninguna autoridad. Desempeña sus funciones con independencia e imparcialidad, con autonomía y según su criterio.

El Defensor del Pueblo realiza visitas preventivas a cualquier centro de privación de libertad destinadas a detectar problemas que pudieran favorecer la comisión de prácticas de tortura o malos tratos. Las conclusiones de estas visitas quedan reflejadas en el informe que cada año presenta a las Cortes Generales y al Subcomité para la Prevención de la Tortura de Naciones Unidas, con sede en Ginebra.

Cualquier ciudadano, español o extranjero, independientemente de su edad o de su situación legal en España puede acudir al Defensor del Pueblo. Y, además, puede hacerlo sin coste alguno, porque dirigirse al Defensor del Pueblo es gratuito.

Adaptado de varias fuentes: *www.defensordelpueblo.es*, *wikipedia*, etc.

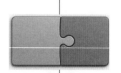

| | | | |
|---|---|---|---|
| a. | Garantizar | 1. | Periodo de tiempo en que alguien actúa como representante. |
| b. | Abuso | 2. | Realizar. |
| c. | Supervisión | 3. | Que se hace para evitar algo peligroso. |
| d. | Mandato | 4. | Asegurar. |
| e. | Desempeñar | 5. | Inspección. |
| f. | Preventivo | 6. | Aprovechamiento excesivo de algo o alguien. |

**2. Contesta a las preguntas.**

a. Nombra otras formas de referirse al Defensor del Pueblo.
b. ¿Qué garantiza el Defensor del Pueblo?
c. ¿Cuándo se creó esta figura y para qué?
d. ¿Quién lo elige y cuánto dura su mandato?
e. ¿Es una figura independiente?
f. ¿Adónde realiza visitas preventivas?
g. ¿Quién puede acudir al Defensor del Pueblo? ¿Cuánto cuesta?
h. ¿Te parece útil la figura del Defensor del Pueblo? ¿Conoces algún caso en que alguien haya acudido al Defensor del Pueblo para resolver un problema? ¿Sabes si se solucionó?

# AUTOEVALUACIÓN

**Portfolio: evalúa tus conocimientos**

Después de las unidades 11 y 12

Fecha: ...............................................

##  COMUNICACIÓN

Soy capaz de expresar sensaciones y describir gestos
Escribe las expresiones: _____

Soy capaz de hablar de costumbres
Escribe las expresiones: _____

Soy capaz de recordar experiencias y valorar
Escribe las expresiones: _____

Soy capaz de plantear y solucionar problemas por teléfono
Escribe las expresiones: _____

Soy capaz de pedir y hacer un favor
Escribe las expresiones: _____

Soy capaz de aceptar o rechazar una petición
Escribe las expresiones: _____

##  GRAMÁTICA

Puedo conjugar verbos de sentidos y percepciones: *oler, oír, sonar*
Escribe algunos ejemplos: _____

Puedo usar oraciones consecutivas y causales
Escribe algunos ejemplos: _____

Puedo conjugar el verbo *soler* + infinitivo
Escribe algunos ejemplos: _____

Puedo identificar los valores del verbo *quedar*
Escribe algunos ejemplos: _____

Puedo usar verbos con preposiciones e *irse* y *venirse*
Escribe algunos ejemplos: _____

Puedo distinguir *por* y *para*
Escribe algunos ejemplos: _____

##  LÉXICO

Conozco las palabras relacionadas con los sentidos y los gestos
Escribe las palabras que recuerdas: _____

Conozco las palabras relacionadas con las gestiones administrativas
Escribe las palabras que recuerdas: _____

**Nivel alcanzado**

Insuficiente | Suficiente | Bueno | Muy bueno

# SECRETOS Y MISTERIOS

## COMUNICACIÓN

## Me parece increíble

**1. Reacciona a estas situaciones con las frases que te damos a continuación.**

| | |
|---|---|
| **1.** | Me parece fatal. |
| **2.** | Me parece intolerable. |
| **3.** | No me parece bien. |
| **4.** | No me parece mal. |
| **5.** | Me parece muy bien. |
| **6.** | Es totalmente inaceptable. |

**a.** Han decidido dejar de servir café e infusiones en la cafetería de la escuela.
**b.** Está prohibido servir bebidas alcohólicas en los centros educativos.
**c.** Han decidido que, si llueve o hace frío, se suspenderán las clases.
**d.** En este parque está prohibido dar de comer a los patos.
**e.** El precio de la matrícula para estudiar español es el doble que el año pasado.
**f.** Este ordenador es nuevo, no funciona y me dicen que no me lo van a cambiar.

## Alguna vez

**2. Escribe las preguntas correspondientes a las respuestas.**

**a.** - ¿..............................................................?
   - No, no he estado nunca en Perú.

**b.** - ¿..............................................................?
   - No, no conozco a ningún médico naturista.

**c.** - ¿..............................................................?
   - Sí, tengo algún libro de recetas, pero no de comida china.

**d.** - ¿..............................................................?
   - No, no sé nada sobre poetas uruguayos del siglo XIX.

**e.** - ¿..............................................................?
   - No, gracias, no tengo nada de hambre.

**f.** - ¿..............................................................?
   - No, no conozco a ninguna chica que se llame Elisenda.

# LÉXICO

## Extraordinario
### 1. Coloca cada palabra en la forma adecuada.

> raro    extraño    extraordinario (2)    misterioso
> curioso    chocante    incomprensible    ininteligible

a. Es una película absolutamente ................................. . De las mejores que he visto en mi vida.

b. ¡Qué persona tan ............................... es tu prima! Nunca habla de sí misma ni expresa lo que piensa.

c. Los hechos ................................... son los que parecen no cumplir las leyes de la vida normal.

d. Es un pueblo muy ........................................ . Es muy pequeño, pero está lleno de librerías, y casi todos sus habitantes son libreros. Hasta la iglesia y el castillo son librerías.

e. Después de haber pasado el fin de semana con nosotros viviendo como un príncipe, me parece ........................... que diga que no le tratamos bien.

f. Habla español con tanto acento que lo que dice me resulta ......................................

g. Cuando vivía en Barcelona estudiaba español, y ahora que vive en Madrid ha empezado a estudiar catalán. Es francamente ........................................

h. A Marion le encanta la parapsicología, los ovnis, los fenómenos paranormales y otras cosas ...........................

i. En esta región las tormentas de nieve son muy ....................................

# GRAMÁTICA

## ¿Poco o un poco?
### 1. Corrige los errores y escribe una C en las frases correctas.

a. Vamos a comer algo. Tengo un poco de hambre.

b. Hemos comido mucho al mediodía, o sea, que tengo poca hambre.

c. Esta casa me gusta, pero me parece poco grande: tiene cinco habitaciones.

d. Prefiero no ir con vosotros al concierto. A mí el flamenco me gusta un poco.

e. Es un profesor muy simpático y agradable, pero sabe un poco.

## ¿Algún o ningún?
### 2. Completa con algún, alguno/a/os/as, ningún, ninguno/a.

a. ¿Conoces ........................... restaurante donde sirvan comida vegetariana?

b. Aunque viví varios años en Zaragoza, no tengo allí .......................... amigo.

c. Pero, bueno, ¿es que ......................... de vosotras sabe la respuesta?

d. No, lo siento, estas camisas son demasiado oscuras. No me gusta ......................... .

e. Ya sé que en Asturias suele llover mucho, pero ¿de verdad no hubo ......................... día de sol en todo el mes?

f. ¿Puede ......................... explicarme qué es lo que ha pasado con la lámpara de la entrada?

g. ......................... piensan que la Atlántida fue un lugar real que estaba en el sur de España.

# Los indefinidos
## 3. Completa con la opción correcta.

a. Está enfadada porque dice que a ella nadie le regala nunca ........................
   **1.** algo        **2.** una cosa        **3.** nada        **4.** ninguna cosa

b. No me digas que tu hermano lo sabe y tú no, porque os lo dije muy claramente a ..............
   **1.** ambos        **2.** dos        **3.** todos        **4.** alguno

c. ¿Quieres repetir otra vez? A mí me parece que ya has comido..........
   **1.** todo        **2.** algo        **3.** bastante        **4.** por completo

d. La tarta de chocolate está buena, pero me parece ........................ dulce.
   **1.** mucho        **2.** no bastante        **3.** poco        **4.** demasiado

e. Como era día de fiesta, no había ........................ en las calles.
   **1.** nada        **2.** alguien        **3.** ninguno        **4.** nadie

f. Ese collar debe de ser caro, pero no me parece .................. bonito.
   **1.** muy        **2.** mucho        **3.** bastante        **4.** un poco

g. Si quieres aprender bien un idioma, tienes que ir a clase .............................
   **1.** cada día        **2.** a cada día        **3.** todo el día        **4.** todos los días

h. En mi clase ............................... sabe que la profesora estudió español en México.
   **1.** todo el mundo        **2.** toda la gente        **3.** todas las personas        **4.** todas las gentes

# Las preposiciones adecuadas
## 4. Completa con *a, de, en, por, para* o *sin*.

a. Estás muy callada. ¿................. qué estás pensando?

b. He ido muchas veces ................... Inglaterra, pero nunca he visitado el sur.

c. Mis primas estudian Psicología en la Universidad Autónoma ............. Barcelona.

d. Este regalo es ....................... tus hijos.

e. Sube al tercer piso y entra .............. la puerta de la derecha .............. llamar.

f. Esta plaza es una de las más bonitas .............. Pontevedra.

g. Las clases de alemán son todas ................... la tarde.

h. Dónde hacemos la reunión, ¿.............. mi casa o .............. la tuya?

# Lo hago por ti
## 5. Completa con *por* o *para*.

a. Los lápices blandos son mejores ............... dibujar.

b. Esta impresora no funciona, hay que cambiarla ............... otra.

c. Martina es una gran anfitriona, prepara siempre comidas deliciosas .............. sus amigos.

d. A mí no me gustan los churros, los estoy haciendo ................... vosotros.

e. Ángela vive ....................... el centro, cerca de la plaza Mayor.

f. Como aquí casi no llueve, no tenemos calzado ni ropa ................... la lluvia.

g. La batería se ha estropeado, o sea, que este móvil ya no sirve ................ nada.

## 🔊 COMPRENSIÓN AUDITIVA

**13**

### Iris y Lope miran al cielo

**1. Escucha este diálogo entre Iris y Lope y contesta las preguntas.**

a. ¿Qué es lo que ven Iris y Lope?

b. Iris dice que lo que ven puede ser un avión. Pero eso no es posible porque...

c. ¿Qué pasa si un avión se queda inmóvil en el aire?

d. ¿Se siente Iris interesada por lo que ven en el cielo? ¿Por qué lo sabes?

e. ¿Cuál es la explicación que da Iris de lo que ven en el cielo?

f. ¿Te parece una explicación posible? ¿Por qué no?

g. ¿Alguna vez has visto algo parecido en el cielo?

## El archipiélago de Juan Fernández

**1. Lee el texto.**

Este archipiélago, que pertenece a Chile, se encuentra en medio del océano Pacífico, a unos 670 kilómetros del continente americano. Las islas Juan Fernández son famosas sobre todo por la novela *Robinson Crusoe*, de Daniel Defoe. A principios del siglo XVIII (en 1703), el marino escocés Alexander Selkirk fue abandonado en una de las islas del archipiélago y vivió allí, completamente solo, durante seis años. En 1709 fue rescatado y llevado de vuelta a Inglaterra, donde su historia se hizo famosa. Tanto que Daniel Defoe llegó a inspirarse en su figura para escribir su obra maestra, que trata de un náufrago que se ve obligado a vivir en una isla desierta en condiciones muy similares a las que sufrió Selkirk. Hoy en día las dos islas principales del archipiélago se llaman *Alejandro Selkirk* y *Robinson Crusoe*.

Pero las islas de Juan Fernández son también famosas por otras razones. En el año 2005, un robot georradar* descubrió lo que parecía ser un gran tesoro enterrado. Se trataría del tesoro de Juan Fernández, el marino español que descubrió la isla hacia 1574. Este mítico tesoro, enterrado en 1715 por otro navegante español llamado Juan Esteban Ubilla y Echeverría, contendría 600 barriles llenos de monedas de oro, doce anillos papales**, parte de los tesoros del imperio inca y también una de las joyas más famosas de la historia, llamada *la Rosa de los Vientos*. Las autoridades locales todavía no han dado el permiso para comprobar si el tesoro existe realmente.

En el año 2010, un terremoto de enorme fuerza sacudió el sur de Chile y desencadenó un tsunami que llegó a Juan Fernández con olas de hasta quince metros de altura. Las olas se adentraron hasta tres kilómetros en la isla y causaron algunas víctimas entre los pocos habitantes de las islas.

En las islas y en las aguas de alrededor viven muchas especies autóctonas, pájaros, peces y corales, que no existen en ningún otro lugar del planeta. En las islas hay además numerosas cabras llevadas por los navegantes europeos, y en sus playas se encuentran numerosos leones marinos.

*Adaptado de Wikipedia*

*Radar usado para localizar objetos o construcciones que se encuentran bajo tierra.
**Joyas pertenecientes al papa (cabeza de la Iglesia de Roma)

## 2. Relaciona estos términos con su definición.

| | | |
|---|---|---|
| **a.** Archipiélago | **1.** | Marino. |
| **b.** Rescatado | **2.** | Típico o propio de un lugar geográfico. |
| **c.** Inspirarse | **3.** | Conjunto de objetos muy valiosos (oro, joyas, monedas, etc.). |
| **d.** Obra maestra | **4.** | Ola gigante producida por un terremoto en el mar. |
| **e.** Náufrago | **5.** | Grupo de islas. |
| **f.** Tesoro | **6.** | Encontrar la idea para hacer algo. |
| **g.** Mítico | **7.** | Salvado. |
| **h.** Navegante | **8.** | La obra más importante de un escritor, pintor, músico, etc. |
| **i.** Tsunami | **9.** | Muy famoso, legendario. |
| **j.** Autóctono | **10.** | Persona cuyo barco desaparece en el mar. |

## 3. Coloca el término adecuado en cada frase en la forma correcta.

| continente | escocés | imperio inca | cabra | coral | terremoto |
|---|---|---|---|---|---|

**a.** Los ........................................ son los nativos de Escocia, al norte de Gran Bretaña.

**b.** El ...................................... se extendía desde la actual Panamá hasta Bolivia, y tenía su capital en Cuzco, Perú.

**c.** El ........................................ es un animal marino con el que se hacen numerosas joyas.

**d.** Un maremoto es un ........................................ que se produce en el mar.

**e.** El queso suele hacerse con leche de vaca, de oveja o de ...................................... .

**f.** Hay seis .....................................: Europa, Asia, África, América, Oceanía y Antártida.

## 4. Contesta a las preguntas.

**a.** ¿Quién fue Alexander Selkirk? ........................................................................
........................................................................

**b.** ¿Cuántos años vivió Selkirk en una isla desierta? ...............................
........................................................................

**c.** ¿Existió realmente Robinson Crusoe? ...............................................

**d.** Según el texto, es posible que en las islas haya un tesoro enterrado con:
    **1)** un cierto valor histórico
    **2)** un gran valor sentimental
    **3)** un enorme valor económico
    **4)** ningún valor, porque el tesoro no existe

**e.** ¿A qué país pertenecen las islas Juan Fernández?
    **1)** a Inglaterra
    **2)** a Chile
    **3)** primero a Chile y luego a Inglaterra, que cambió sus nombres originales
    **4)** a España

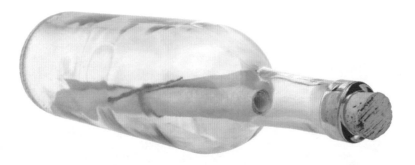

# NOS VAMOS YENDO

 **COMUNICACIÓN**

## Valora el curso
### 1. Rellena la encuesta.

## Instituto de Idiomas Internacional

**Cuestionario de satisfacción para el alumnado**
* Indica tu grado de satisfacción con el curso que acabas de terminar.
1. ☐ Muy satisfecho    2. ☐ Satisfecho    3. ☐ Poco satisfecho

* ¿Qué te han parecido los contenidos del curso?
1. ☐ De gran utilidad   2. ☐ Bastante útiles   3. ☐ No muy útiles

* ¿Has participado activamente en el curso: haciendo los deberes, el trabajo en parejas, las tareas, etc.?
1. ☐ Sí, siempre    2. ☐ Casi siempre    3. ☐ Solo a veces

* ¿En qué aspectos de la lengua crees que se debería insistir más?
1. ☐ En la lengua hablada, escrita    2. ☐ En la pronunciación
3. ☐ En la gramática   4. ☐ En los debates    5. ☐ En la lectura de textos, etc.

* ¿Cómo valorarías las instalaciones del centro: equipamiento de aulas, medios audiovisuales/tecnológicos, servicio de cafetería, limpieza, etc.?
1. ☐ Excelente    2. ☐ Bueno    3. ☐ Regular

* ¿Qué te parece la duración del curso?
1. ☐ Perfecta    2. ☐ Apropiada    3. ☐ Corta    4. ☐ Larga

* ¿Cómo valorarías el trabajo del profesor?
1. ☐ Excelente    2. ☐ Bueno    3. ☐ Regular   4. ☐ Malo

* ¿Recomendarías el curso a amigos y conocidos?
1. ☐ Por supuesto que sí    2. ☐ Creo que sí    3. ☐ No estoy seguro

* Para acabar, ¿qué cambios introducirías en la asignatura de lengua extranjera?
.............................................................................................
.............................................................................................

## Expresar sentimientos

**2. Relaciona las columnas.**

| | |
|---|---|
| a. ¡Qué alegría volver a verlo, don Carlos! | 1. No se preocupe, la situación allí está mejor. |
| b. ¿Lo está pasando bien en la fiesta? | 2. Pero volveremos pronto a visitarlo. |
| c. ¡Qué pena que la directora no esté aquí! | 3. Sí, no os había visto desde el examen final. |
| d. ¡Qué lástima que tengan que irse a su país! | 4. Muchas gracias, lo intentaremos, ja, ja, ja. |
| e. Me preocupa que no encuentren trabajo allí. | 5. Estoy pasándolo divinamente. |
| f. Espero que sean muy felices en el futuro. | 6. Sí, es una lástima, pero está enferma. |

## LÉXICO

### Un reencuentro
**1. Ordena el diálogo.**

☐ Genial, pues quedamos en eso. Me he alegrado mucho de verte. Adiós, Rafael.

☐ Hola, Ángel, ¡cuánto tiempo sin verte!

☐ Gracias por darme ánimo, es una lástima que no nos veamos más a menudo.

☐ ¡Qué pena! ¡Cómo lo siento! ¿Vas a volver a presentarte?

☐ No, hombre, no te desanimes, esta vez seguro que apruebas.

☐ Claro que sí, pero me preocupa suspender otra vez.

☐ Sí, es verdad, Rafael. ¡Qué alegría volver a verte!

☐ Hasta pronto, Ángel, y buena suerte.

☐ Dime, ¿qué es de tu vida?

☐ Pues no hay mucho que contar. Suspendí una asignatura.

☐ Tienes razón, Ángel. En cuanto apruebes la asignatura, quedamos para tomar algo y ponernos al día.

### El intruso
**2. Tacha la palabra que es diferente y explica por qué.**

a. nota, examen, asignatura, patio
b. fiesta, bocadillos, libro electrónico, refrescos
c. profesor, director, secretario, jefe
d. fiesta de aniversario, fiesta de graduación, fiesta de fin de curso, fiesta de teatro de Navidad
e. enfadado, triste, deprimido, pena
f. casado, separado, divorciado, viudo

## Lo llevo en coche
**1. Sustituye las formas de *tú* por *usted* y cambia los pronombres.**

- ¿Te llevo en coche a la estación de autobuses?
- No, no hace falta. No te preocupes, no llevo mucho equipaje.
- Pero si llevas dos maletas, venga, hombre, te pongo las maletas en el maletero y salimos en un minuto.
- Bueno, vale, te agradezco que me lleves.
- Una cosa, ¿me puedes indicar el camino? No conozco bien estas calles.
- ¿Pero no llevas navegador en el coche?
- Sí, pero no lo he actualizado. Dime qué hago, dónde giro para tomar la autopista.
- Gira a la derecha y toma la segunda calle a la izquierda. Después sigues 2 kilómetros por la autopista y la estación de autobuses está al lado de la salida.
- Genial, pues te dejo allí en cinco minutos más o menos.
- Muchas gracias, eres muy amable. Te lo agradezco de veras.

## ¡Qué alegría que...!
**2. Completa las frases con uno de los verbos en subjuntivo.**

| poder   hacer   regalarte   terminar   tener   acompañar   venirse |

a. Es una pena que el curso ........................................ tan pronto.
b. ¡Qué bien que Carlota ........................................ elegir la universidad a la que quiere ir!
c. ¡Qué estupendo que ellos ........................................ a vivir a Costa Rica! Así, los veremos más.
d. ¡Qué alegría que Natalia no ........................................ que operarse de la garganta!
e. Es una lástima que mi amiga no nos ........................................ en este viaje cultural.
f. ¡Qué suerte tienes que tus padres ........................................ ese apartamento tan fabuloso!
g. Es un horror que hoy ........................................ tanto calor.

## Los pronominales recíprocos
**3. Completa las frases con uno de estos verbos.**

| mirarse   encontrarse   soportarse   separarse   hablarse   besarse   odiarse   pelearse |

a. Esa pareja de novios está muy enamorada. Mira cómo ........................... apasionadamente.
b. Sus familias siempre han estado enfrentadas. ........................... de toda la vida.
c. Con frecuencia les digo a mis hijas adolescentes que no ........................... tanto al espejo, es vanidad.
d. Niños, escuchad, está prohibido ........................... con los compañeros de la guardería.
e. Mis padres no ..........................., están todo el día discutiendo y cada uno hace su vida. Acabarán ..........................., ya verás.
f. Amalia y Pilar ........................... por casualidad después de muchos años en una fiesta el otro día.
g. No ........................... desde hace una década, pero la semana pasada hicieron las paces.

## ¿Pronominal o no?
**4. Escribe C delante de las frases correctas y corrige las que tienen errores.**

a. El problema de las personas mayores es que no beben casi agua, y se deshidratan.
b. Yo en verano me duermo la siesta todas las tardes.
c. Os venís el domingo a pasar el día, nos bañaremos en la piscina y comeremos una paellita.
d. Anoche terminé el último libro de Vila Matas, es buenísimo.
e. Quedamos con Yolanda y Marcos y nos tomamos unos refrescos y unos chipirones.

# Los pronombres personales

**5. Pon *me, se, lo, la, nos*, etc., donde sea necesario.**

Jaime bajó la escalera intentando no poner nervioso. Estaba seguro de que había oído un ruido, pero no sabía de dónde venía. La luz estaba apagada, pero decidió dejar así. Era una noche de luna llena y a través de las ventanas entraba luz suficiente para ver todo que necesitaba. El ruido repitió una vez más. Parecía que venía de la cocina. Jaime dirigió hacia allí. Entonces vio que una de las ventanas del salón estaba abierta. ¿Había dejado él abierta o había abierto alguien? ¿O quizá había abierto con el viento? En la cocina oía un ruido. Moviendo lentamente, llegó a la puerta de la cocina y empujó. Cuando vio, dio un grito terrible.

 ## COMPRENSIÓN AUDITIVA

**14** **La fiesta de graduación**

**1. Escucha y contesta las preguntas.**

a. En el anuncio...
   1. se dan consejos de cómo preparar una fiesta de graduación.
   2. se dice todo lo que no debes hacer en una fiesta de graduación.
   3. te sugieren contratar la fiesta de graduación con su empresa.

b. ¿Por qué es mejor hacer la fiesta unos días después del acto de graduación?
   1. Para que todos los amigos y la familia estén más tranquilos.
   2. Para tener más tiempo para preparar la fiesta.
   3. Para que puedan asistir todos los amigos y compañeros.

c. La fiesta de graduación puede realizarse...
   1. en el mismo centro educativo.
   2. en casa de tus mejores amigos.
   3. en un restaurante o sitio similar.

d. Para invitar a tus amigos, es mejor que lo hagas...
   1. por correo electrónico.
   2. el mismo día del acto de graduación.
   3. comunicándolo a todos el último día de clase.

e. La comida de la fiesta deberá ser...
   1. abundante.
   2. servida por un servicio de *catering*.
   3. apropiada al tipo de fiesta que organices.

f. La música es muy importante y...
   1. deberá ser elegida por los invitados.
   2. tendrá que ser variada para satisfacer a todos los amigos.
   3. el anfitrión debería elegirla.

g. El fotógrafo es una persona fundamental porque...
   1. con los teléfonos móviles no salen muy bien las fotos.
   2. se encarga de repartir fotos a todos los invitados.
   3. capta los mejores momentos de la fiesta.

### Fiesta de quince años en Bolivia

**1. Lee el texto y relaciona las columnas.**

En la mayoría de los países latinoamericanos, cuando una niña cumple los 15 años, se celebra una fiesta llamada *de quinceañera o de los quince años*. Aunque esta fiesta presenta muchos elementos comunes en todos los países, la importancia social y el desarrollo de la celebración dependen en gran medida de las costumbres y tradiciones en la sociedad de cada país.

El origen de esta fiesta está basado en antiguos ritos de iniciación presentes en todas las culturas en los que la niña da el paso hacia el mundo adulto, transformándose en una mujer. Un momento clave para la transformación de este rito ancestral fue la presencia de los españoles en América, ya que dieron a conocer allí la pompa de las formalidades cortesanas españolas y sus influencias francesas. A partir de ese momento, la fiesta se convierte en un gran acontecimiento social. Independientemente de la capacidad económica de la familia, se realiza un gasto económico impresionante. La mujercita de 15 años es vestida como una novia, con su vestido largo, su tiara, y su primer par de zapatos de tacón alto. Es asistida por una corte de catorce amigos, siete chicos y siete chicas, vestidos de manera que combinan con la quinceañera. La celebración incluye la ceremonia religiosa en la que se da gracias por ese momento y se desea lo mejor en la nueva vida de la joven, un gran banquete con su gran torta, y un baile que es iniciado con un vals de la quinceañera con su padre.

Para organizar toda esta fiesta, la quinceañera elige a una mujer (suele ser una tía) como madrina. Esta regala a la niña un anillo como recuerdo de ese día, y se crea un vínculo de confianza y apoyo hasta el momento en que la joven decide unirse en matrimonio.

En Bolivia la fiesta de los quince años es una celebración muy arraigada, y se suele celebrar con cierto esfuerzo económico, en un entorno íntimo y familiar. Voces detractoras de esta fiesta critican el despilfarro y el espectáculo que en la mayoría de los casos conlleva esta fiesta. La presión social y la forma de ser latina lleva a las familias a endeudarse con tal de poder celebrar este evento siguiendo los patrones de la moda del momento (alquiler de grandes salones o discotecas, carruajes, orquestas, etc.). También aparecen voces críticas que consideran esta fiesta retrógrada y machista por el hecho de celebrarla solo las chicas a los quince años, y no se realicen acontecimientos especiales en el caso de los chicos a los dieciocho o a los veintiuno.

*http://distintosenlaigualdad.org*

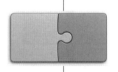

a. Arraigado    1. Especie de corona para adornar la cabeza.
b. Retrógrada    2. Gasto excesivo e innecesario.
c. Tiara    3. Persona con ideas propias del pasado.
d. Detractor    4. Con raíces. De gran importancia.
e. Despilfarro    5. Persona que critica a otra persona o cosa por no estar de acuerdo.

**2. Escribe la palabra correspondiente.**

A los chicos y chicas de 15 años se les llama *quinceañeros.*
a. A los de 20 y 30 años ........................... y ...........................

A los de 40 años se les llama *cuarentón.*
b. A los de 50 ...................................................

**3. Contesta las preguntas.**

a. Según el texto, ¿la fiesta de los quince años es igual en toda Latinoamérica?
b. ¿Cuál es el origen de esta fiesta? ¿Qué supuso la influencia española en esta fiesta?
c. Explica cómo va vestida la joven quinceañera y quién la acompaña.
d. ¿Qué incluye esta celebración? ¿Qué papel tiene la madrina?
e. ¿Cómo es esta celebración en Bolivia?
f. Nombra algunas de las cosas por las que la gente se endeuda.
g. Al final del texto hay voces críticas que consideran esta fiesta retrógrada y machista. Explica por qué.
h. ¿Y tú qué opinas, es una fiesta sexista o no? ¿Crees que se debería eliminar? Escribe tu opinión.

Bolivia

# AUTOEVALUACIÓN

**Portfolio: evalúa tus conocimientos**

Después de las unidades 13 y 14

Fecha: ...........................................

##  COMUNICACIÓN

Soy capaz de expresar miedo e inseguridad
Escribe las expresiones: _____

Soy capaz de expresar desacuerdo e indignación
Escribe las expresiones: _____

Soy capaz de afirmar y negar con énfasis
Escribe las expresiones: _____

Soy capaz de expresar pena y lástima
Escribe las expresiones: _____

Soy capaz de manifestar alegría y diversión
Escribe las expresiones: _____

Soy capaz de transmitir buenos deseos
Escribe las expresiones: _____

## GRAMÁTICA

Puedo usar los indefinidos: *alguno, ninguno...*
Escribe algunos ejemplos: _____

Puedo usar cuantificadores: *demasiado, todo...*
Escribe algunos ejemplos: _____

Puedo utilizar correctamente las preposiciones *a, de, desde, en*
Escribe algunos ejemplos: _____

Puedo usar y colocar los pronombres de objeto directo
Escribe algunos ejemplos: _____

Puedo expresar pena o alegría con infinitivo o subjuntivo
Escribe algunos ejemplos: _____

Puedo usar verbos pronominales
Escribe algunos ejemplos: _____

##  LÉXICO

Conozco las palabras relacionadas con los misterios
Escribe las palabras que recuerdas: _____

Conozco las palabras relacionadas con las fiestas de despedidas
Escribe las palabras que recuerdas: _____